«Simple. Práctico. Útil. En *H...* llante sobre tres disciplinas es[...] nuestras vidas y fortalecer nuestra fe. En un m[...] volviéndose más complicado, este libro nos ayudará a reducir la velocidad y volver a enfocarnos en las cosas que más importan».

Louie Giglio, Pastor, Passion City Church, Atlanta; Fundador, Conferencias Passion

«Aunque este pequeño libro dice lo que muchos otros dicen sobre la lectura de la Biblia, la oración y la comunión cristiana (con dos o tres otras cosas agregadas), su gran fuerza y belleza es que cultiva mi disposición a leer la Biblia y me hace tener hambre de orar. Si los así llamados "medios de gracia" son expuestos solamente como deberes, el eje de la santificación es la obligación. Pero en este caso, los medios de gracia son percibidos correctamente como dones de gracia y señales de que Dios está obrando en nosotros, lo cual aumenta nuestro gozo al estar en la cúspide de la libertad cristiana bajo las glorias del Rey Jesús».

D. A. Carson, Profesor de investigación del Nuevo Testamento, Trinity Evangelical Divinity School; co-fundador, Coalición por el Evangelio

«La mayoría de las personas suponen que se necesita un entrenamiento disciplinado para obtener cualquier habilidad —profesional, académica o atlética. Pero por alguna razón, los cristianos no ven que este principio se aplique a sus vidas cristianas. En su excelente libro, *Hábitos de gracia*, David Mathis ofrece un argumento convincente a favor de la importancia de las disciplinas espirituales, y lo hace de una manera tan cautivadora que nos motivará a todos a practicar las disciplinas espirituales de la vida cristiana. Este libro será excelente para los nuevos creyentes que recién están comenzando su caminar, y como un andar refrescante para todos aquellos que ya estamos en el camino».

Jerry Bridges, autor, *The Pursuit of Holiness*

«David Mathis ha logrado con creces su objetivo de escribir una introducción a las disciplinas espirituales. Lo que más me gusta del libro es que Mathis presenta las disciplinas —o "medios de gracia" como él prefiere describirlas— como hábitos que deben cultivarse para disfrutar a Jesús. Las prácticas bíblicas que Mathis explica no son fines —ese era el error de los fariseos en tiempos de Jesús y de los legalistas en la actualidad. Más bien son medio por los cuales buscamos, saboreamos y disfrutamos a Jesucristo. Que el Señor use este libro para ayudarte a entrar "en el camino de la atracción" que causa un aumento de tu gozo en Jesús».

Donald S. Whitney, Profesor asociado de Espiritualidad bíblica, Decano asociado principal de la Escuela de Teología, The Southern Baptist Theological Seminary; autor, *Spiritual Disciplines for the Christian Life*

«Siempre que consideramos las disciplinas espirituales, pensamos en lo que debemos hacer individualmente. Mathis toma un enfoque diferente que es profundo y renovador. Junto con nuestro tiempo personal de oración y lectura, se nos alienta a buscar consejo de santos maduros, a tener conversaciones con otros sobre el estudio de la Biblia, y orar juntos. La vida cristiana, incluyendo las disciplinas, no están diseñadas para el aislamiento. La profundidad del conocimiento bíblico de Mathis, junto con su orientación práctica y su afable presentación te dejarán ansioso por ejercitar las disciplinas, reforzadas por la gracia de Dios».

Trillia Newbell, autora, *United: Captured by God's Vision for Diversity* y *Fear and Faith*

«Este es el tipo de libro al que recurro periódicamente para ayudar a examinar y reajustar mi corazón, mis prioridades, y mi caminar con el Señor. David Mathis nos ha ofrecido un manual para experimentar y rebosar de un creciente deleite en Cristo a través de hábitos intencionales iniciados por la gracia que facilitan el fluir de fuentes de gracia aún más plenas hacia y a través de nuestras vidas».

Nancy DeMoss Wolgemuth, autora; presentadora del programa de radio, *Revive Our Hearts*

«No hay cristiano en el mundo que haya dominado las disciplinas espirituales. De hecho, cuanto más crecemos en la gracia, más reconocemos cuán poco sabemos de lo que significa escuchar a Dios, hablarle a Dios, y meditar sobre Dios. Nuestra madurez revela nuestra ineptitud. *Hábitos de gracia* es una guía poderosa para las disciplinas espirituales. Ofrece instrucciones básicas para nuevos creyentes mientras que brinda un aliento fresco a quienes han caminado con el Señor durante muchos años. Es una alegría recomendártelo».

Tim Challies, autor, *The Next Story*; escritor del blog, *Challies.com*

«Cuando era joven, las disciplinas espirituales solían estar envueltas por un aire de legalismo. Pero hoy el péndulo ha oscilado hacia la otra dirección: pareciera que la devoción familiar y privada ha desaparecido del radar. Incluso la palabra *hábitos* puede resultar odiosa, especialmente en una cultura de la distracción y la autonomía. Sin embargo, el carácter es fundamentalmente un conjunto de hábitos. Cristo promete bendecirnos a través de los medios de gracia: su Palabra predicada y escrita, el bautismo, y la Cena del Señor. Como el primer llanto de un bebé, la oración es el comienzo de esa vida de respuesta a la gracia concedida, y nunca dejamos de crecer en ella. Además de la oración, hay otros hábitos que la gracia motiva y moldea. Estoy agradecido de que *Hábitos de gracia* traiga nuevamente las disciplinas a la conversación, y esperamos que también a nuestra práctica».

Michael Horton, Profesor de Teología Sistemática y Apologética J. Gresham Machen, Westminster Seminary California; autor, *Calvin on the Christian Life*

«David Mathis nos ha brindado un libro sobre las disciplinas espirituales que es práctico, aplicable, y accesible. Habla con una voz que no regaña ni abruma, ofreciendo ánimo a través de sugerencias e ideas para ayudar aun al creyente más nuevo a encontrar una regularidad al utilizar estos medios de gracia. Un tratamiento del tema que es maravillosamente simple y profundo, *Hábitos de gracia* ofrece tanto un punto de partida para principiantes como un camino de crecimiento para los maduros en la fe».

Jen Wilkin, autora, *Women of the Word*; maestra de estudios bíblicos

«Me atraen los libros que sé que primero se vivieron en el caos de la vida antes de llegar a prolijas páginas de papel. ¡Este es uno de esos libros! David ha encontrado un camino hacia Jesús muy transitado a través de los hábitos de gracia que nos recomienda. Estoy muy agradecido por el compromiso de David al tomar el mensaje eterno en este libro y comunicarlo en un lenguaje que es atractivo para la mente y cálido para el corazón. Este libro tiene la amplitud de una reseña de literatura que se lee como un devocional. Estoy ansioso por ponerlo en manos de nuestros colaboradores en el ministerio universitario y ver que lo leen en residencias y centros de estudiantes en todo el país».

Matt Bradner, Director Regional, Campus Outreach

«David Mathis nos ha brindado una visión de las prácticas espirituales cristianas que está impulsada por el evangelio, centrada en la Palabra, y que exalta a Cristo. Además, él entiende que la santificación es un proyecto comunitario: acertadamente la iglesia local ocupa un lugar preponderante en *Hábitos de gracia*. Este libro es perfecto para el estudio en un grupo pequeño, como lectura devocional o para pasarle a un amigo que está pensando sobre este tema por primera vez. Le doy mi más alta recomendación».

Nathan A. Finn, Decano, The School of Theology and Missions, Union University

Hábitos de gracia

*Disfrutando a Jesús a través de
las disciplinas espirituales*

David Mathis

Prólogo de John Piper

Proyecto
Nehemías

Hábitos de gracia: Disfrutando a Jesús a través de las disciplinas espirituales
David C. Mathis

ISBN Impreso: 978-1-946584-60-1
ISBN ePub: 978-1-946584-61-8
ISBN Mobi: 978-1-946584-62-5

Publicado en © 2017 por Proyecto Nehemías,
170 Kevina Road, Ellensburg WA 98926
www.proyectonehemias.org

Los libros de Proyecto Nehemías son impresos
y distribuidos en EE.UU. por: JPL Distribution

3471 Linden Avenue Southeast
Grand Rapids, MI 49548
E-mail: orders@jpldistribution.com
Tel: 877.683.6935

Traducido del libro *Habits of Grace*
© 2016 por David C. Mathis
Publicado por Crossway

Traducción por Guillermo MacKenzie, edición por Elvis Castro.
Diseño de portada: Jeff Miller, Faceout Studio

Imagen de portada: Benjamin Devine

Dedicado a Carson y Coleman
Que él les conceda un paladar
para las recetas antiguas.

Índice

Prólogo

por John Piper

─────

No creo que David haya tenido esta intención, pero su título y subtítulo forman un quiasmo. Y me gusta tanto que organizaré mi prólogo siguiendo ese quiasmo. Un quiasmo (tomado de la letra griega chi, que se parece a una X) es una secuencia de pensamientos en los que el primer miembro se corresponde con el último, y el segundo miembro se corresponde con el anteúltimo, y así con los subsiguientes, manteniendo un pensamiento eje en el medio. Así que el título del libro como un quiasmo se ve así:

> *Hábitos*
>   *de gracia:*
>   *Disfrutando a Jesús*
>   *a través de las espirituales*
>   *disciplinas* *

Hábitos se corresponde con *disciplinas*. *Gracia* se corresponde con *espirituales*. Y *disfrutando a Jesús* es el eje. Esto comprende implicaciones de por qué vale la pena leer el libro de David.

─────

*Nota del traductor: El quiasmo así presentado sigue el orden de las palabras en inglés.

El quiasmo, y el libro, y la teología de fondo requieren que *disfrutar a Jesús* sea el eje. Pero «eje» solamente se refiere al punto de oscilación en medio de los otros pensamientos. Siempre hay más para profundizar. En este caso, el eje es el objetivo de todo el resto.

David ha escrito un libro para ayudarte a disfrutar a Jesús. Al hacerlo, no está tratando de quedar bien. Está intentando compartir algo nuclear. Su manera de pensar acerca de disfrutar a Jesús es explosiva. Si disfrutas a Jesús más que la vida (Mt 10:38), vivirás con un abandono radical por Jesús que dejará al mundo asombrado. El disfrutar a Jesús no es como el glaseado del pastel; es como pólvora en el cartucho.

Disfrutar a Jesús no es solo algo explosivamente transformador en nuestra forma de vivir; también es esencial para exaltar a Jesús. Y es por eso que tenemos al Espíritu Santo. Jesús dijo que el Espíritu vino para glorificarlo (Jn 16:14). La misión principal del Espíritu —y de su pueblo— es mostrar que Jesús es más glorioso que nadie más y que ninguna otra cosa. Esto no puede hacerlo alguien que disfruta más al mundo que a Jesús. Ellos exaltan este mundo. Por tanto, el objetivo máximo de la vida cristiana —y del universo— radica en que el pueblo de Dios disfrute al Hijo de Dios.

Pero esto va más allá de nosotros. Nuestros corazones tienden a disfrutar al mundo más que a Jesús. Es por esto que el pensamiento eje —disfrutar a Jesús— está delimitado a Pero esto va más allá de nosotros. Nuestros corazones tienden a disfrutar al mundo más que a Jesús. Es por esto que el pensamiento eje —disfrutar a Jesús— está delimitado a ambos lados por *gracia* y *espiritual*.

Gracia
    Disfrutando a Jesús
Espiritual

La *gracia* es la obra libre y soberana de Dios de hacer por nosotros lo que no podemos hacer nosotros mismos, aunque no lo merezcamos. *Espiritual* es la palabra bíblica para describir lo que ha sido llevado a cabo por el Espíritu Santo. «Espiritual» no significa religioso, o místico, o algo parecido a la nueva era. Significa: producido y moldeado por el Espíritu de Dios.

Así que el punto es este: Dios todopoderoso, por su gracia y por su Espíritu, no nos deja abandonados cuando hablamos de disfrutar a Jesús. Él nos ayuda. No dice: «Disfruta de la presencia del Señor» (Sal 37:4), y luego simplemente toma distancia y observa para ver si lo logramos. Él hace un pacto con nosotros y dice: «Pondré en ustedes mi espíritu, y haré que cumplan mis estatutos» (Ez 36:27). Él hace que se lleve a cabo lo que él ordena. Disfrutar a Jesús no es opcional. Es un deber. Pero también es un regalo —espiritual y de gracia.

Pero el regalo viene a través de medios. Es por esto que *gracia* está acompañada por *hábitos*, y *espiritual* está acompañada por *disciplinas*.

> *Hábitos*
> *de gracia:*
> *Disfrutando a Jesús*
> *a través de espirituales*
> *disciplinas*

La Biblia no dice: «Dios está obrando en ti para llevar a cabo sus buenos propósitos, *por lo tanto*, quédate en la cama». Dice: «Ocúpate de tu salvación, *porque* Dios está obrando en ti» (ver Fil 2:12-13). La obra de Dios no hace innecesaria nuestra obra; la hace posible. «He trabajado más que todos ellos, aunque no lo he hecho yo, sino la gracia de Dios que está conmigo» (1Co 15:10). La gracia no solo perdona nuestras faltas; también posibilita nuestros logros —como disfrutar satisfactoriamente a Jesús más que la vida.

Este libro se trata de los *hábitos* potenciados por la gracia, y las *disciplinas* potenciadas por el Espíritu. Estos son los medios que Dios nos ha dado para que bebamos de la fuente de vida. Ellos no se ganan el disfrute. Lo reciben. No son pagos para obtener placer; son tuberías. El salmista no dice: «Les *vendes* bebida», sino «*Apagas su sed* en un río de aguas deliciosas» (Sal 36:8). Pero todos tenemos goteras. Todos necesitamos inspiración e instrucción sobre cómo beber, una y otra vez. Habitualmente.

Si nunca has leído un libro sobre «hábitos de gracia» o «disciplinas espirituales», comienza con este. Si eres un amante veterano del río de Dios, pero, por alguna razón, recientemente has estado vagando sin rumbo en el desierto, este libro será un buen recurso para regresar.

John Piper
desiringGod.org
Minneapolis, Minnesota

Prefacio

No pretendo que este sea el libro definitivo, ni mucho menos, sobre las disciplinas espirituales, o mejor dicho, sobre «los medios de gracia». De hecho, mi intención ha sido mantener las cosas relativamente breves. Piensa en este libro como una introducción u orientación. Quedan muchas enseñanzas importantes para que otras personas escriban en tratados más extensos[1]. En particular, estoy ansioso por ayudar a los cristianos jóvenes y mayores a simplificar su enfoque sobre los distintos hábitos personales de gracia, o disciplinas espirituales, destacando los tres principios claves de la gracia continua: oír la voz de Dios (su Palabra), hablarle a su oído (oración), y participar en su cuerpo (comunión).

Este enfoque simplificado, y muchas de las ideas expuestas más adelante, fueron desarrollados primero en el aula de Bethlehem College & Seminary, donde he enseñado «las disciplinas» a estudiantes universitarios de tercer año. Luego intenté plasmar los conceptos que los estudiantes parecían encontrar más útiles con formato de artículo en desiringGod.org. La respuesta fue alentadora, y Crossway tuvo la amabilidad de proveer la oportunidad para reunir las ideas y ofrecerlas de esta forma.

---

1 En particular, como verán a lo largo del libro, estoy en deuda con tres textos que recomiendo fuertemente –dos viejos amigos y uno nuevo: Donald S. Whitney, *Spiritual Disciplines for the Christian Life*, ed. rev. (Colorado Springs: NavPress, 2014); John Piper, *When I Don't Desire God: How to Fight for Joy* (Wheaton, IL: Crossway, 2004); y Timothy Keller, *Prayer: Experiencing Awe and Intimacy with God* (New York: Dutton, 2014).

Esta edición es intencionalmente la mitad en tamaño que la mayoría de los otros libros sobre las disciplinas. Espero que algunos lectores recurran a los libros más grandes después de leer este. Yo quería ofrecer algo más breve, pero aun así abarcar los temas principales, con la esperanza de presentar un enfoque simplificado sobre los medios de gracia que sea accesible a otros que no leerían los grandes libros.

Sin embargo, las raíces de este libro nacen mucho antes de la etapa de enseñar en la universidad y escribir artículos. Las semillas fueron sembradas por mis padres y la iglesia de mi infancia en Spartanburg, Carolina del Sur, más antes de lo que mi memoria puede recordar. Cada mañana papá se levantaba temprano, leía su Biblia y oraba antes de salir hacia su consultorio odontológico, y mamá habitualmente tenía su Biblia abierta sobre la mesa del comedor ya que recurría a la Biblia durante el día. Frecuentemente oía charlas sobre las enseñanzas básicas con diferentes detalles y profundidad en las clases de las distintas edades en la iglesia.

En la universidad, a través del ministerio de Campus Outreach, participaba en un discipulado durante el semestre y era moldeado por proyectos de entrenamiento de verano. En mis primeros años en la universidad, la persona que me discipulaba me presentó el libro *Disciplinas espirituales para la vida cristiana*, de Donald S. Whitney. Comencé a enseñar «cómo tener un tiempo de quietud» a estudiantes más jóvenes en el contexto del discipulado de vida a vida, y luego continué haciéndolo cuando trabajaba con Campus Outreach en Minneapolis.

Debo mencionar la influencia incalculable de John Piper, con quien he trabajado de cerca desde 2006. Para aquellos que conocen su ministerio de predicación y escritura, las huellas dactilares de John serán inconfundibles en estas páginas, tanto en citas explícitas como en estructuras de pensamiento e instintos que no puedo evitar, ni tampoco quiero hacerlo. Su libro del año 2004 *Cuando no deseo a Dios* es el lugar para encontrar la enseñanza práctica más concentrada sobre la lectura de la Biblia y la oración, pero pueden hallarse perlas de oro sobre los medios de gracia y sus propios hábitos, distribuidas a lo largo de sus escritos, especialmente en sus sermones de año nuevo sobre la Biblia y la oración disponibles en desiringGod.org, y sus respuestas a un sinfín de preguntas prácticas que recibe a través del programa diario *Ask Pastor John*.

Justo antes de recibir la invitación a publicar este libro, leí el libro de Timothy Keller *La Oración: Experimentando asombro e intimidad con Dios*. En la segunda parte, sobre la oración, verás que ya estoy recogiendo bastante de los conceptos de Keller, y recomiendo fuertemente su libro. Mi esperanza es que lo poco que tengo que decir sobre la oración te llevará en la dirección correcta, y luego —cuanto antes mejor— subirás al siguiente nivel, y más allá, con la notable guía de Keller.

¿En qué se diferencia este libro?

Les recomiendo encarecidamente ir a los textos más largos sobre las disciplinas, pero eso no significa que he escrito este libro simplemente como un resumen, sin ninguna contribución específica. Tal vez el aspecto distintivo clave de este libro, además de ser breve, es el esquema de organización triple que ya hemos notado. Aquí presentamos las disciplinas, no como diez o doce (o más) prácticas distintas para que trabajes en u vida, sino como tres principios clave (la voz de Dios, el oído de Dios, y el pueblo de Dios), que luego son desarrollados en incontables hábitos creativos y útiles en la diversidad de vidas de los creyentes en sus diferentes contextos.

En particular, esta estructura vuelve a colocar la comunión como un medio de gracia en el lugar esencial que ocupa en la vida cristiana. Los libros de Piper, Keller y Whitney se enfocan en disciplinas personales, y no incluyen largas secciones, mucho menos un capítulo entero, sobre el rol de la comunión.[2] Al estructurar este libro en tres partes, algunas prácticas similares pueden ser agrupadas y entendidas en conjunto, de tal manera que los capítulos individuales son más breves y están diseñados para ser leídos de una vez. Mi esperanza es que esto te ayude a avanzar hacia la aplicación en tus propias prácticas dejando en claro que lo central no es practicar en todo momento en nuestro caminar cristiano cada una de las disciplinas específicas que abordamos, sino entender los caminos clave de la gracia continua e intentar crear hábitos regulares para estos principios en la vida.

A pedido de Crossway, he escrito una guía de estudio para acompañar este libro para quienes quieran profundizar sus reflexiones y aplicaciones. Está diseñado para el estudio individual o grupal, y está disponible en formato de cuaderno de ejercicios.

Mi oración es que no acabes exasperado por no tener tiempo para poner en práctica todo lo que este libro recomienda. Más bien, en su misma estructura, el libro pretende ayudarte a ver cuán realista y vivificante puede ser integrar los medios de gracia de Dios en los hábitos diarios de la vida.

Y junto al énfasis sobre la comunión, este libro también tiene la esperanza de convertir la búsqueda del gozo en algo más central, explícito y pronunciado de lo que se ha visto típicamente en muchos textos sobre las disciplinas.

Mi sueño y oración por ti

Mi oración por ti mientras lees es que encuentres los medios de gracia como algo práctico, realista y deseable en tu búsqueda de gozo en Cristo. Espero que haya muchas cosas beneficiosas aquí para la audiencia cristiana en general, pero que haya un llamado especial a estudiantes universitarios y jóvenes adultos

---

2 Whitney ha hecho un buen esfuerzo por compensarlo con su otro libro: *Spiritual Disciplines within the Church: Participating Fully in the Body of Christ* (Chicago: Moody, 1996).

que están aprendiendo a volar por sí mismos por primera vez en los diversos patrones y prácticas de la vida cristiana.

Mi sueño es que este libro te sirva con sencillez, estabilidad, confianza, poder, y gozo. *Sencillez,* dado que observar los medios de gracia en tres canales principales te ayudará a entender la matriz de la gracia para vivir la vida cristiana y a crear caminos prácticos (tus propios hábitos) que sean realistas y vivificantes en la etapa única de la vida en que te encuentres. *Estabilidad,* dado que conocer tu propia alma, y crear patrones y prácticas, te ayudará a lidiar con los altibajos de la vida en este mundo caído con el contentamiento que surge, en alguna medida, de conocernos a nosotros mismos y aprender maneras en que podamos ayudar a que se «levanten las manos caídas y las rodillas entumecidas; enderecen las sendas por donde van» (Heb 12:12-13) y «se mantengan en el amor de Dios» (Jud 21). *Confianza,* dado que, al caminar por estos caminos, verás cuán fiel es Dios para sostenernos y darnos «gracia para cuando necesitemos ayuda» (Heb 4:16). *Poder,* puesto que el oír su voz, hablarle al oído, y participar en su cuerpo llena nuestra alma con energía espiritual y fortaleza para dedicarnos al ministerio y la misión. Y *gozo,* para satisfacer nuestros anhelos más profundos que solamente serán satisfechos en su totalidad cuando veamos al Dios-hombre cara a cara y vivamos en perfecta comunión con él, y todos nuestros hermanos en él, para siempre.

El tema que resonará una y otra vez, sin presentar excusas, es que los medios de gracia, materializados en nuestros diversos hábitos de gracia, tienen la finalidad de ser para nosotros *medios de gozo* en Dios, y por tanto medios de su gloria. Por eso la sencillez, la estabilidad, la confianza, el poder y el gozo de Dios mismo respaldan estos medios. Este es el sendero de su promesa. Él está siempre dispuesto a derramar su gracia maravillosamente indómita y generosa a través de estos canales. ¿Estás preparado?

Introducción

La gracia desatada

La gracia de Dios anda suelta. Al contrario de lo que esperába-
mos, contradiciendo nuestras presuposiciones, frustrando nuestra
opinión crítica, y burlándose de nuestras ansias de control, la
gracia de Dios está provocando una revolución en el mundo.
Sin ninguna vergüenza, Dios está derramando su generoso
favor sobre pecadores indignos de todo tipo, y eliminando por
completo nuestra autosuficiencia.

Antes de enfocarnos en «los medios de gracia», y las prácticas («hábitos») que nos preparan para recibir la gracia de
Dios en nuestras vidas, es importante dejar algo claro desde
el comienzo: la gracia de Dios está gloriosamente más allá de
nuestras habilidades y de nuestra técnica. Los medios de gracia
no son para obtener el favor de Dios, convencerlo, o controlar su
bendición, sino para prepararnos para una inmersión constante
en el vaivén de su marea.

La gracia ha estado en continuo movimiento desde antes de
la creación, deambulando desatada y libre. Incluso antes de la
fundación del mundo, fue la gracia indómita de Dios la que saltó
los límites del tiempo y el espacio y tuvo en cuenta a un pueblo

aún no creado en conexión con su Hijo, y nos eligió en él (Ef 1:4). Fue por amor —para alabanza de la gloria de su gracia— que «nos predestinó para que por medio de Jesucristo fuéramos adoptados como hijos suyos» (Ef 1:5). Tal elección divina no se basó en algo bueno que él haya previsto en nosotros. Él nos escogió por gracia —no «por obras; de otra manera la gracia ya no sería gracia» (Ro 11:5–6). No fue «conforme a nuestras obras, sino según el propósito suyo y la gracia que nos fue dada en Cristo Jesús antes de los tiempos de los siglos» (2Ti 1:9).

Así, con paciencia —a través de la creación, la caída, y el diluvio, a través de Adán, Noé, Abraham y el Rey David— Dios preparó el camino. La humanidad esperó y gimió, recogiendo las migajas de su compasión como un anticipo de un banquete futuro. Los profetas «hablaron de la gracia destinada a ustedes» (1P 1:10). Y llegó en el cumplimiento del tiempo. Él llegó.

Invasión de nuestro espacio

Ahora «la gracia de Dios se ha manifestado» (Tit 2:11). No se pudo impedir que la gracia se hiciera carne y viviera entre nosotros como Dios-hombre, lleno de gracia y verdad (Jn 1:14). De su plenitud tomamos todos gracia sobre gracia (Jn 1:16). La ley fue dada por medio de Moisés, pero la gracia y la verdad vinieron por medio de Jesucristo (Jn 1:17). La gracia tiene rostro.

Pero la gracia no estaría restringida ni siquiera aquí, ni siquiera en este hombre. La gracia no solo se encarnaría sino que rompería las cadenas para deambular libre por el mundo. Fue pura gracia lo que nos unió por fe a Jesús, la gracia hecha carne, y nos bendijo en él «con toda bendición espiritual en los lugares celestiales» (Ef 1:3). En gracia fuimos llamados eficazmente (Gá 1:6) y recibimos un nuevo nacimiento en nuestras almas. Por causa de la gracia inconmensurable, ilimitada y libre, nuestros corazones que antes estaban muertos ahora laten y nuestros pulmones que antes no tenían vida ahora respiran. Solamente por gracia hemos creído (Hch 18:27) y solamente en gracia recibimos «arrepentimiento para conocer la verdad» (2Ti 2:25).

Pero esa gracia desatada continúa moviéndose. Se nos da el Espíritu de la gracia, experimentamos nuestra adopción planeada durante tanto tiempo, y se nos permite clamar «¡Abba, Padre!» (Ro 8:15). Recibimos «el perdón de los pecados según las riquezas de su gracia» (Ef 1:7).

La gracia continúa rompiendo barreras y desechando restricciones. La gracia justifica. En esta unión con Jesús tenemos una justicia perfecta, irreprochable, aprobada divinamente, aplicada humanamente. Somos «justificados gratuitamente por su gracia» (Ro 3:24; Tit 3:7). A través de este hombre Jesús, somos contados entre «los que reciben la abundancia de la gracia y del don de la justicia» (Ro 5:17). Así decimos felizmente con Pablo: «No desecho la gracia de Dios; pues si la justicia dependiera de la ley, entonces por demás habría muerto Cristo» (Gá 2:21)[1].

Irrumpiendo en nuestras vidas

Y justo cuando pensamos que hemos sido llevados suficientemente lejos, que Dios ha hecho por nosotros todo lo que podríamos imaginar y aun más, la gracia rompe el molde nuevamente. *La gracia santifica.* Es demasiado indómita para permitir que nos mantengamos en su amor con injusticia. Demasiado libre para dejarnos en esclavitud al pecado. Demasiado desatada para dejar que nuestras lujurias queden sin ser conquistadas. El poder de la gracia es demasiado desinhibido como para no liberarnos para la felicidad de la verdadera santidad.

Así es como crecemos «en la gracia y el conocimiento de nuestro Señor y Salvador Jesucristo» (2P 3:18) y no vivimos

---

1 Para profundizar en la justificación solo por fe, y en particular sobre cómo se relaciona con la santificación y la búsqueda del cristiano de crecimiento y santidad en la vida cristiana, ver «The Search for Sanctification's Holy Grail», en *Acting the Miracle: God's Work and Ours in the Mystery of Sanctification*, ed. John Piper y David Mathis (Wheaton, IL: Crossway, 2013), 13–27.

«bajo la ley sino bajo la gracia» (Ro 6:14). La gracia abunda, no a través de nuestra permanencia en el pecado, sino a través de nuestra permanente liberación potenciada por el Espíritu (Ro 6:1). La gracia es demasiado fuerte como para dejarnos pasivos, demasiado potente como para dejar que nos revolquemos en el fango de nuestros pecados y nuestras debilidades. Jesús dice: «Con mi gracia tienes más que suficiente, porque mi poder se perfecciona en la debilidad» (2Co 12:9). Es la gracia de Dios que nos da sus «medios de gracia» para nuestra continua perseverancia, crecimiento y gozo antes de la futura nueva creación. Y la gracia de Dios inspira y potencia los diversos hábitos y las prácticas por las cuales hacemos uso de los medios de Dios.

Inundación del futuro

Justo cuando estamos seguros de que ya terminó, y tenemos certeza de que debe restaurarse un orden y establecerse algún límite, la gracia de Dios no solo inunda nuestro futuro en esta vida, sino que también atraviesa la división hasta la próxima vida, y se derrama sobre el llano de nuestra eternidad. *La gracia glorifica.*

Si las Escrituras no hubieran dejado clara esta historia de nuestra gloria, estaríamos aterrados incluso de soñar con tal gracia. No solo Jesús será glorificado en nosotros, sino que nosotros seremos glorificados en él, «por la gracia de nuestro Dios y del Señor Jesucristo» (2Ts 1:12). Él es «el Dios de toda gracia, que en Cristo nos llamó a su gloria eterna» (1P 5:10). Así que Pedro nos dice: «Pongan toda su esperanza en la gracia que recibirán cuando Jesucristo sea manifestado» (1P 1:13). Será indescriptible el asombro en los tiempos venideros cuando se muestren «las abundantes riquezas de su gracia y su bondad para con nosotros en Cristo Jesús» (Ef 2:7). Incluso los más maduros entre nosotros solamente han comenzado a saborear la gracia de Dios.

Escogidos antes del tiempo. Llamados eficazmente. Unidos a Jesús en fe y arrepentimiento. Adoptados y perdonados. Justificados. Santificados. Glorificados. Y satisfechos por siempre. Esta es la gracia maravillosamente desatada. Esta es la inundación del favor de Dios en donde descubrimos el poder y la práctica de los medios de gracia.

Sitúate en el camino de la gracia de Dios

Es en este interminable mar de su gracia que recorremos el camino de la vida cristiana y damos pasos de esfuerzo e iniciativa potenciados por la gracia. Funciona más o menos así.

Yo puedo accionar el interruptor, pero no soy quien provee la electricidad. Puedo abrir un grifo, pero no hago que el agua fluya. No habría luz ni refresco líquido si no hubiera alguien que lo proveyera. Así es para el cristiano con la continua gracia de Dios. Su gracia es esencial para nuestra vida espiritual, pero no controlamos la provisión. No podemos hacer que fluya el favor de Dios, pero él nos ha permitido conectarnos a circuitos y abrir cañerías con expectación. Hay senderos en los cuales él ha prometido su favor.

Tal como hemos celebrado más arriba, nuestro Dios es generoso en su gracia; es libre para dispensar abundantemente su bondad sin siquiera la más mínima porción de cooperación y preparación de nuestra parte, y a veces lo hace así. Pero Dios tiene también sus canales regulares. Y de manera rutinaria nosotros podemos aprovechar estos caminos revelados de bendición —o descuidarlos para nuestro perjuicio.

Donde la gracia continúa llegando

John Piper escribe: «La esencia de la vida cristiana es aprender a luchar por el gozo sin reemplazar la gracia». No podemos merecer la gracia de Dios o hacerla fluir aparte de su regalo gratuito. Pero podemos posicionarnos para seguir recibiendo mientras él siga entregando. Podemos «luchar por andar en los caminos donde él ha prometido sus bendiciones»[2]. Podemos estar preparados para permanecer como receptores por los caminos que él transita, a veces llamados «las disciplinas espirituales», o mejor aún, «los medios de gracia»[3].

Tales prácticas no necesitan ser llamativas o pomposas[4]. Son las cosas de cada día, el cristianismo básico —modestamente rutinario, pero increíblemente potente por el Espíritu. Aunque no hay un listado final y completo de tales prácticas, la larga cuenta de hábitos útiles puede se puede agrupar en tres principios fundamentales: oír la voz de Dios, hablarle al oído, y participar de su cuerpo. O simplemente: Palabra, oración y comunión[5].

En la última generación, hemos visto entre cristianos cierto resurgimiento de interés en las disciplinas espirituales, muchas de las cuales eran consideradas «medios de gracia» por nuestros antepasados espirituales. J. I. Packer dice: «La doctrina de las

---

2 John Piper, *When I Don't Desire God: How to Fight for Joy* (Wheaton, IL: Crossway, 2004), 43–44. Versión en español: *Cuando no deseo a Dios*.

3 Yo prefiero «medios de gracia» por sobre «disciplinas espirituales». Por un lado, este libro se preocupa esencialmente por lo que muchos llamarían las «disciplinas espirituales» cristianas. Sin embargo, me parece que las palabras «medios de gracia» son más coherentes con la teología de la Biblia sobre tales prácticas y ayuda a mantener los énfasis claves en sus lugares adecuados. Según D. A. Carson, «medios de gracia es una hermosa expresión menos susceptible a tergiversaciones que las disciplinas espirituales». Carson, "Spiritual Disciplines," en *Themelios*, 36, no. 3 (Noviembre 2011).

4 Como veremos, los medios de gracia son primeramente principios, que pueden ser encarnados en innumerables prácticas («hábitos») creativas.

5 John Frame, en *Systematic Theology* (Phillipsburg, NJ: P&R, 2013), organiza los medios de gracia bajo estos tres encabezados. Esta manera de categorizarlos se aproxima al resumen que hace Lucas de la vida de la iglesia primitiva en Hechos 2:42: «Se mantenían fieles a las enseñanzas de los apóstoles (la Palabra) y en el mutuo compañerismo, en el partimiento del pan (que categorizamos bajo comunión) y en las oraciones». J. C. Ryle muestra un sistema similar de categorización al escribir: «Los "medios de gracia" son tales como leer la Biblia, orar en privado, y adorar a Dios regularmente en la iglesia, donde uno escucha la enseñanza de la Palabra y participa de la Cena del Señor. Dejo planteado como un simple hecho que nadie que descuide estas cosas debe esperar lograr mucho progreso en la santificación. No puedo encontrar ningún registro de ningún santo eminente que haya descuidado estas prácticas. Son canales asignados a través de los cuales el Espíritu Santo transmite una provisión fresca de gracia al alma y fortalece la obra que él ha comenzado en el hombre interior... Nuestro Dios es un Dios que obra a través de medios, y nunca bendecirá el alma del hombre que pretende estar tan alto y ser tan espiritual que puede arreglárselas sin ellos» J. C. Ryle, *Holiness: Its Nature, Hindrances, Difficulties, and Roots* (Peabody, MN: Hendrickson, 2007), 26.

disciplinas es en realidad una reafirmación y extensión de la enseñanza clásica del Protestantismo sobre los medios de gracia»[6].
Cualquiera que sea el término, la clave es que Dios ha revelado
ciertos canales a través de los cuales habitualmente derrama
su favor. Y somos insensatos si no confiamos en lo que dice y
generamos hábitos de vida espiritual en torno a dichos canales.

Lo que significan y no significan los medios de gracia

Juntar *medios* con *gracia* podría poner en peligro la naturaleza
gratuita de la gracia. Pero no debe ser así necesariamente; no si
los medios se coordinan con el recibir y los grandes esfuerzos
se proveen por gracia. Esto es categóricamente cierto para el
cristiano. No hay aquí lugar para la jactancia[7].

Aquel en quien nos apoyamos es «el Dios de toda gracia»
(1P 5:10). No solo elige sin condicionamientos a quienes no lo
merecen (Ro 8:29–33; Ef 1:4) y obra en ellos el milagro del nuevo
nacimiento y el don de la fe, sino que también libremente los
declara justos por esa fe («justificación») y comienza a proveer
el fluir de la vida y energía espirituales para experimentar el
gozo de la creciente semejanza a Cristo.

Como hemos visto, la inmensa inundación de la gracia de Dios
no solo nos ve como santos en Cristo sino que también produce

---

6 Prólogo para Donald S. Whitney, *Spiritual Disciplines for the Christian Life*, ed. rev. (Colorado Springs, CO: NavPress, 2014), ix–x. Versión en español: *Disciplinas espirituales para
la vida cristiana*.
7 Junto con la tradición reformada de teología cristiana, yo me refiero a algo distintivamente
protestante cuando hablo de «medios de gracia». No creo que los varios «medios de gracia»
funcionen automáticamente (*ex opere operato* según la tradición católica), sino que son los
caminos de bendición prometidos por Dios cuando son recibidos con una fe consciente y activa
en Dios como el dador a través de Jesucristo. En consecuencia, la gracia no es dispensada por
la iglesia, sino por Jesús mismo. Como escribe el teólogo escocés James Bannerman: «No es
la iglesia la que gobierna y dispensa las ordenanzas y las gracias espirituales en su nombre, en
razón de su don original y aquello que le fue entregado, sino Cristo quien, estando presente en
persona, gobierna y administra las ordenanzas y bendiciones a través de la iglesia. La iglesia
no tiene una reserva de vida aparte de que Cristo está en ella; las ordenanzas de la iglesia no
tienen un depósito de gracia aparte de la presencia de Cristo en ellas; los funcionarios de la
iglesia no tienen don, o poder, o autoridad, o acción, aparte de Cristo quien gobierna y actúa
por ellos». James Bannerman, *The Church of Christ*, vol. 1 (Vestavia Hills, AL: Solid Ground
Christian Books, 2009), 199.

progresivamente deseos santos en nosotros («santificación»). Ser perdonados por nuestros actos pecaminosos es gracia, y recibir el corazón para los actos justos es gracia. Ser hechos cada vez más «conforme a la imagen de su Hijo» (Ro 8:29) es gracia, y que Dios no nos deje en la miseria de nuestro pecado sino que prometa completar la buena obra que ha comenzado en nosotros (Fil 1:6) también es gracia.

Para la gloria de Dios, el bien de los demás, y la satisfacción de nuestras almas, el objetivo de la vida cristiana es llegar a participar de esa semejanza con Cristo o piedad —que es la «santidad» entendida correctamente. Y todos nuestros grandes esfuerzos hacia ese objetivo son dones de gracia.

Ejercítate para la piedad

Sí, es gracia, y sí, le dedicamos esfuerzo. Así el apóstol Pablo le dice a su pupilo: «Ejercítate para la piedad» (1Ti 4:7). Disciplínate para el crecimiento. Actúa regularmente para obtener más de Dios en tu mente y en tu corazón, e imita sus caminos en tu vida; esto te hará cada vez más parecido a él. Es un regalo, y lo recibimos a medida que somos transformados.

La dependencia de Dios del propio Pablo para recibir su continua gracia es un testimonio poderoso sobre esta dinámica cristiana de los medios de gracia y los hábitos de la vida que cultivamos. Él dice en 1 Corintios 15:10: «Por la gracia de Dios soy lo que soy... pues he trabajado más que todos ellos, aunque no lo he hecho yo, sino la gracia de Dios que está conmigo». La gracia de Dios no hizo que Pablo permaneciera pasivo, sino que le proveyó la energía para la disciplina y el esfuerzo, y cada gramo de energía invertida fue por pura gracia.

Y Pablo dice en Romanos 15:18: «No me atrevería a contar sino lo que... Cristo ha hecho por medio de mí». La gracia de Jesús, en este caso, no implicaba cumplir su propósito a pesar de Pablo, o aparte de él, sino a través de él. ¿De dónde recibe el apóstol el poder para trabajar e invertir semejante esfuerzo espiritual? «Trabajo y lucho con todas mis fuerzas y con el poder que actúa en mí» (Col 1:29).

Cómo recibir el don del esfuerzo

Esta dinámica es verdadera no solo porque Pablo es un apóstol, sino porque es un cristiano. Así le dice a todo creyente: «Ocúpense en su salvación con temor y temblor», por causa de esta gran promesa: «Porque Dios es el que produce en ustedes lo mismo el querer como el hacer, por su buena voluntad» (Fil 2:12–13). De igual forma la majestuosa epístola a los Hebreos concluye con una oración para que Dios «haga en ustedes lo que a él le agrada» (Heb 13:20–21).

La forma de recibir el don de que Dios potencie nuestras acciones es entrar en acción. Si él nos da el don del esfuerzo, recibimos ese don mediante el uso de nuestro esfuerzo. Cuando nos da la gracia de crecer en santidad, no recibimos ese don desvinculado de la acción de volvernos más santos. Cuando nos da el deseo de recibir más de él en las Escrituras, o en la oración, o entre su pueblo, no recibimos ese don sin experimentar el deseo y vivir la búsqueda que fluye de él.

Sitúate en el camino de la atracción

Zaqueo pudo haber sido un hombre muy pequeño, pero fue un ejemplo de esta gran realidad de posicionarse en el camino de la gracia. No podía forzar la mano de Jesús, ni podría hacer que fluya la gracia automáticamente, pero pudo colocarse por fe en el camino donde iba a pasar la gracia (Lc 19:1–10). Lo mismo ocurrió con el ciego Bartimeo (Lc 18:35–43). No podía ganarse la restauración de su vista, pero podía establecerse en la ruta de la gracia donde Jesús podría darle el don al pasar por ahí.

Donald S. Whitney dice: «Pensemos en las disciplinas espirituales como formas en que podemos colocarnos en el camino de la gracia de Dios y buscarlo, como Bartimeo y Zaqueo se colocaron en el camino de Jesús y lo buscaron»[8]. O como dice Jonathan Edwards, podemos «esforzarnos por promover los apetitos espirituales colocándonos en el camino de la atracción»[9]. No podemos forzar la mano de Jesús, pero podemos colocarnos en el camino de la gracia donde podemos aguardar expectantes su bendición.

Los canales regulares de la gracia de Dios, como veremos, son su voz, su oído y su cuerpo. A menudo él derrama sobre su pueblo favores inesperados. Pero típicamente la gracia que hace profundizar nuestras raíces, que nos hace crecer verdaderamente en Cristo, que prepara nuestra alma para un nuevo día, que produce una madurez espiritual duradera, y que aumenta el torrente de nuestro gozo, fluye de los caminos ordinarios y sencillos de la comunión, la oración y la lectura de la Biblia, los cuales encuentran una expresión práctica en incontables formas y hábitos.

Aunque estos simples hábitos de gracia pueden parecer tan insignificantes como los interruptores y grifos cotidianos, a través de ellos Dios permanece regularmente preparado para entregar su verdadera luz y el agua de vida.

El gran fin de los medios

Antes de comenzar a decir más acerca de la Palabra de Jesús, de su oído y de su iglesia en las próximas páginas, necesitamos dejar en claro cuál es la mayor gracia a lo largo de este camino: Jesús mismo. El gran fin de los medios es conocerlo y disfrutar de él. En palabras del apóstol, el gozo último en cualquier

---

8 Whitney, *Spiritual Disciplines*, 13.
9 «The Spiritual Blessings of the Gospel Represented by a Feast», en *Sermons and Discourses, 1723–1729*, ed. Kenneth Minkema, vol. 14 of *The Works of Jonathan Edwards* (New Haven, CT: Yale University Press, 1997), 286. Énfasis agregado.

disciplina o práctica verdaderamente cristianas, o cualquier patrón de la vida, es «la excelencia del conocimiento de Cristo Jesús, mi Señor» (Fil 3:8). «Esta es la vida eterna», y este es el objetivo de los medios de gracia: «que te conozcan a ti, el único Dios verdadero, y a Jesucristo, a quien has enviado» (Jn 17:3).

Al fin y al cabo, nuestra esperanza no es ser lectores calificados de la Biblia, expertos en la oración y creyentes fieles, sino personas capaces de «entenderme y conocerme. Porque yo soy el Señor, que hago misericordia, imparto justicia y hago valer el derecho en la tierra» (Jer 9:23–24). Así que el motor en los hábitos que desarrollamos para oír cada Palabra, decir cada oración y participar en cada acto de comunión es Oseas 6:3: «Entonces conoceremos al Señor, y más y más lo iremos conociendo». Conocer y disfrutar de Jesús es el fin excelso de oír su voz, hablarle al oído y participar en su cuerpo.

Los medios de gracia, y sus muchas buenas expresiones, servirán para hacernos más semejantes a él, pero solamente si nuestro enfoque regresa continuamente a Cristo mismo, y no a nuestra semejanza a él. Es «mirando la gloria del Señor» que «somos transformados de gloria en gloria en la misma imagen» (2Co 3:18). El crecimiento espiritual es una consecuencia maravillosa de tales prácticas, pero en un sentido es solamente un efecto secundario. El centro de todo es conocer y disfrutar a Jesús.

Los medios de gracia y las cosas terrenales

Una pregunta importante que plantea nuestro estudio es cómo estos medios de gracia se relacionan con el resto de la creación de Dios. En un sentido importante, toda la creación de Dios puede servir como medio de su gracia, no solamente su Palabra, la oración y la comunión[10]. Mi amigo y colega el pastor Joe Rigney aborda muy bien este tema en *The Things of Earth:*

---

10 En primer lugar, su palabra es no solo la «revelación especial» de las Escrituras, sino también la «revelación general» de los cielos, y toda la creación. «Los cielos proclaman la gloria de

Treasuring God by Enjoying His Gifts[11]. Su capítulo llamado «Rhythms of Godwardness» converge de manera más explícita con nuestro enfoque sobre los medios de gracia y sus hábitos. Él escribe sobre «dos tipos diferentes de acercamiento a Dios... acercamiento directo y acercamiento indirecto»[12].

El enfoque de Rigney está sobre el segundo tipo y sobre cómo podemos atesorar al Dios del cielo en las cosas terrenales, mientras que este libro aborda el primer enfoque, atesorar a Dios a través de sus medios designados de gracia, canales especiales que Dios usa para proveer una bendición continua a su iglesia. Este doble modelo (acercamiento a Dios directo e indirecto) funciona bien para el proyecto de Rigney, pero nuestra inclusión de la comunión como un medio de gracia, además de la Palabra de Dios y la oración, produce un cúmulo de preguntas: ¿el cristianismo comunitario debe considerarse un acercamiento a Dios directo o indirecto? ¿Es directo cuando nos reunimos comunitariamente para adorar e indirecto cuando estamos conversando unos con otros sobre las realidades del evangelio? O aun de manera más específica, ¿es directo cuando estamos cantando (a Dios) en adoración comunitaria pero indirecto cuando estamos escuchando a un predicador? ¿Compartir la Cena del Señor es directo o indirecto? El doble concepto funciona bien para la meditación de la Biblia y la oración personal, por un lado, y para la vocación y la recreación por el otro, pero la claridad se desvanece cuando nos volvemos al acercamiento comunitario a Dios, que no encaja bien como «directo» ni «indirecto».

Una solución, al menos para este libro, es considerar el «acercamiento comunitario a Dios» como una categoría propia a la par

---

Dios; el firmamento revela la obra de sus manos. Un día se lo cuenta al otro día; una noche se lo enseña a la otra noche» (Sal 19:1–2).
11 Joe Rigney, *The Things of Earth: Treasuring God by Enjoying His Gifts* (Wheaton, IL: Crossway, 2015). John Piper también dedica un capítulo llamado «How to Wield the World in the Fight for Joy», en *When I Don't Desire God*.
12 Rigney, *Things of Earth*, 121.

del acercamiento directo a Dios mediante la meditación bíblica y la oración personal y el acercamiento indirecto a Dios cuando nos ocupamos de las cosas terrenales. Ciertamente conversar intencionalmente con otros cristianos sobre las cosas celestiales es fundamentalmente diferente que interactuar con no creyentes acerca de los deportes o el clima, o si vamos al caso, hablar sobre otros creyentes. Si añadimos una tercera categoría y formamos una tríada, entonces este libro se ocupa principalmente de dos: acercamiento directo a Dios en las partes 1 y 2, y acercamiento comunitario a Dios en la parte 3[13].

Hábitos tuyos, gracia de Dios

Los medios de gracia son los canales de gracia continua que Dios prometió, recibidos por fe. La gracia infinita está detrás de nosotros, y la gracia infinita se encuentra delante, y a través de sus medios de gracia designados, Dios se complace en proveer vida, energía, salud y fortaleza continuamente a nuestra alma. Los medios de gracia llenan nuestro tanque para la búsqueda de gozo, para el bien de otros, y para la gloria de Dios. Son bendiciones *espirituales*, no las bendiciones *materiales* gravemente inoportunas que promete de manera prematura el llamado «evangelio de la prosperidad». Y son *bendiciones* —no meras disciplinas, sino canales a través de los cuales Dios nos da alimento espiritual para nuestra supervivencia, nuestro crecimiento y nuestro florecimiento en la misión.

Por más de una generación, hemos visto entre los cristianos un renovado interés en las disciplinas espirituales. Este renacimiento ha sido muy bueno. Pero muchos han enfatizado técnicas

---

13 En consecuencia, el libro de Rigney también se enfoca en solo dos de las tres categorías: acercamiento indirecto a Dios y acercamiento comunitario a Dios. El acercamiento comunitario a Dios es la categoría que nuestros proyectos tienen en común, mientras que los respectivos enfoques directo e indirecto es lo que los hace distintos. Les recomiendo fuertemente el libro de Rigney para considerar cómo «las cosas terrenales» pueden servir como medios (generales) de la gracia de Dios.

y habilidades, con la desafortunada disminución, o abandono, del rol de Dios como suministrador y proveedor. Con demasiada frecuencia el énfasis ha estado sobre la iniciativa y el esfuerzo individual, diciendo poco sobre el lugar de la iglesia y la naturaleza comunitaria del plan de Dios. Se ha dicho mucho sobre el deber, y demasiado poco sobre el gozo. Y la aparente proliferación de largos listados de disciplinas pueden abrumar a los jóvenes cristianos por causa de lo que no están practicando, y en algunos casos pueden contribuir a un leve sentimiento de culpa que amenaza con impedir que nos comprometamos totalmente con el resto de nuestra vida diaria, para lo cual estas prácticas deberían estar preparándonos.

Mi esperanza en esta reorientación del enfoque desde las disciplinas espirituales hacia los medios de gracia —y luego los diferentes hábitos personales de gracia que desarrollamos a la luz de tales medios— es mantener el evangelio y la energía de Dios en el centro, profundizar en el aspecto comunitario que es esencial (y frecuentemente descuidado), y simplificar la manera en que pensamos sobre estas prácticas (como oír la voz de Dios, hablarle al oído, y participar en su cuerpo). Mi oración es que este enfoque ayudará a hacer de los medios de gracia, y de tus propios hábitos desarrollados a su alrededor, no solo algo accesible y realista, sino ciertamente los medios de Dios para que conozcas y disfrutes a Jesús.

Parte 1

OYE SU VOZ

Palabra

Capítulo 1

Moldea tu vida con las palabras de vida

===

La vida cristiana, de principio a fin, depende totalmente de la gracia de Dios. No solo recibimos la vida espiritual por pura gracia (Hch 18:27; Ro 3:24; Ef 2:5), sino que también es en la gracia divina que seguimos creciendo (Hch 13:43). Es por gracia de Dios que nuestras almas sobreviven a través de muchas pruebas (2Co 12:9; Heb 4:16), son fortalecidas para la vida diaria (2Ti 2:1; Heb 13:9), y crecemos hacia la madurez y la salud (2P 3:18).

Y es la gracia de Dios la que nos permite tomar decisiones y esforzarnos para buscar más de Dios (1Co 15:10). Es un don el hecho que tengamos el deseo y entrar en acción para aprovechar los medios de la gracia de Dios —su voz (Palabra), su oído (oración), y su pueblo (comunión)—, siendo el principio más básico de la gracia la inmersión de nuestra vida en su Palabra.

La Palabra original

Antes de identificar la presencia de la voz de Dios en nuestras vidas con los muchos buenos hábitos para recibir su Palabra —ya sea leer y estudiar la Biblia, oír predicaciones, meditar sobre la Escritura, memorizarla, etc.— primero veamos su Palabra como un principio general, en vez de hablar de prácticas específicas.

Antes de imprimirla, y encuadernarla, y forrarla con cuero, consideremos el concepto de Palabra de Dios. *Dios habla.* Él se nos revela. Se comunica con nosotros. Su Palabra, como dice John Frame, es «su auto-manifestación poderosa y autoritativa»[1]. Así como las palabras de un amigo son esenciales para revelarnos su persona, lo mismo ocurre con Dios.

Quien nos creó —y nos sostiene a cada momento (Col 1:17; Heb 1:3)— se nos ha manifestado en palabras humanas, y es vital que escuchemos. Los otros medios principales de su gracia (la oración y la comunión), aunque igualmente esenciales, no son tan fundamentales como este. Tanto la creación (Gn 1:3) como la nueva creación (2Co 4:6) comienzan con la voz de Dios. Él inicia todo, y lo hace hablando. Esta auto-manifestación de Dios es tan profunda, rica y completa que no es solamente personal, sino que es una persona.

La Palabra encarnada

La auto-revelación completa y culminante de Dios al hombre es el Dios-hombre, su Hijo (Heb 1:1–2). Jesús es «la Palabra» (Jn 1:1), y «la Palabra se hizo carne» (Jn 1:14). Él es quien «lo ha dado a conocer [al Padre]» (Jn 1:18). Jesús es la auto-manifestación culminante de Dios, y dice sin ningún fingimiento ni ornamentación: «El que me ha visto a mí, ha visto al Padre» (Jn 14:9).

---

1 Este es un estribillo común en los escritos de Frame, pero la fuente principal sería su tratado en forma de libro llamado *The Doctrine of the Word of God* (Phillipsburg, NJ: P&R, 2010).

Jesús es la Palabra de Dios encarnada. Es la gracia de Dios encarnada (Tit 2:11). Revela a Dios de manera tan total y completa que no se lo puede considerar como una palabra-objeto, sino como una Palabra-persona. Él cumplió el destino de la humanidad en su vida perfecta y muerte sacrificial (Heb 2:9), y resucitó triunfante sobre el pecado y sobre la muerte, y ahora está sentado a la derecha del Padre, y todas las cosas se sujetan a él (1Co 15:25–28). Él es la Palabra divino-humana que nuestras almas necesitan para sobrevivir, fortalecerse y crecer. ¿Pero cómo accedemos a esta Palabra ahora que él está sentado en los cielos?

La Palabra evangélica

El uso más frecuente de *palabra* en el Nuevo Testamento tiene relación con el mensaje del evangelio —podríamos llamarla *la palabra evangélica,* o *la palabra del evangelio*—, el mensaje acerca de Jesús, «la palabra de Cristo» (Col 3:16). Para Pablo, las frases «predicar a Cristo», «anunciar a Cristo» y «hablar *la palabra*» son sinónimos (Fil 1:14–17). Pablo dice que la misión de su vida es «hablar del evangelio y de la gracia de Dios» (Hch 20:24), que es «*la palabra* de su gracia» (Hch 20:32).

Es «el evangelio, que es la palabra de verdad», que viene a nosotros no solo para la conversión sino también para que demos fruto y crezcamos (Col 1:5). Es «la palabra de la verdad, que es el evangelio que los lleva a la salvación» la que cambia todo en la vida de los cristianos (Ef 1:13), y es «la palabra de vida» a la cual nos aferramos en medio de una sociedad maligna y perversa (Fil 2:15–16). Así, en la pelea cristiana por el gozo, John Piper escribe: «La estrategia central es predicarte el evangelio a ti mismo... Oír la palabra de la cruz, y predicárnosla a nosotros mismos, es la estrategia central para los pecadores en la pelea por el gozo»[2].

---

2 *When I Don't Desire God: How to Fight for Joy* (Wheaton, IL: Crossway, 2004), 81, 91. Al final de este capítulo desarrollamos más el tema de predicarse el evangelio a uno mismo.

Y al transmitir esta palabra-evangelio de boca en boca, de persona a persona, de pueblo a pueblo, de nación a nación, ¿cómo hará *el mensaje* de Jesús para seguir siendo mensaje? ¿Qué hará que la palabra hablada permanezca fiel, y verdadera y transformadora de vidas? ¿Y cómo evitamos caer en la rutina y tender hacia las mismas viejas formas repetidas de compartir el mensaje?

La Palabra escrita

Habiendo avistado el pináculo de la Palabra de Dios en la persona y obra de Jesús, y la prevalencia de la Palabra de Dios en su evangelio, ahora llegamos al lugar esencial, a este lado del paraíso, para ver la Palabra de Dios escrita. Así como es crucial para la vida espiritual tener a Dios en su Palabra Jesús, y tener a Jesús en su palabra el evangelio, también necesitamos las Escrituras como la auto-revelación inspirada, inerrante e infalible de Dios.

Sin la Biblia, pronto perderíamos el evangelio genuino y al Jesús real y al verdadero Dios. Por ahora, si queremos saturar nuestras vidas con las palabras de vida, debemos ser el pueblo del Libro. Esto no es una receta necesaria para todo cristiano para que utilice los mismos hábitos específicos. Pero es un llamado al principio de sumergir nuestras vidas en la voz de Dios y diversificar el catálogo de puntos de acceso. Antes de considerar los muchos y maravillosos hábitos de gracia que podrían ser mejores para tu contexto y la etapa de tu vida, coloca esta roca en su lugar: desarrolla patrones de vida que te ayuden a girar en torno a la Palabra encarnada de Dios, mediante la palabra del evangelio de Dios, a través de la Palabra escrita de Dios.

La Palabra penetrante

Con esa perspectiva de la Palabra de Dios en su lugar, podríamos seguir con incontables rutinas creativas —ya sea leer la Biblia en un año, o memorizar pasajes o libros enteros, o meditar sobre versículos específicos o párrafos, o enérgicamente identificar y buscar aplicaciones, o escuchar sermones en audio, o leer recursos bíblicamente ricos en línea, o tomar clases de Biblia, o consumir libros cristianos, etc., etc.— y cambiar de rutina de vez en cuando. Las prácticas posibles son ilimitadas, pero el principio bajo las prácticas es este: los medios fundamentales de la gracia continua de Dios, a través de su Espíritu, en la vida del cristiano y la vida de la iglesia, es la auto-manifestación de Dios en su Palabra, en el evangelio, perfectamente guardada para nosotros y exhibida en todas sus texturas, riquezas y tonalidades en la Palabra escrita externa de las Escrituras.

Al considerar la lectura de la Biblia, el estudio, la meditación, la memorización, la aplicación, y el aprendizaje para toda la vida en los próximos capítulos —y aún más importante, el recibir la predicación fiel de la Biblia, que se incluye en la parte 3—, que Dios te provea de intencionalidad para moldear tus semanas con su Palabra, que la inventiva colme tus días con su voz, y la creatividad dé énfasis a tu vida y la vida de los que te rodean con rutinas frescas para que te beneficies regularmente de sus palabras vivificantes.

Más sobre predicarte a ti mismo

Antes de avanzar hacia considerar la lectura de la Biblia en algunas de sus muchas formas, regresemos y digamos algo más sobre el hecho de predicarnos el evangelio a nosotros mismos y su función como un medio de gracia. Después de todo, anteriormente hemos leído esta frase de Piper: «Oír la Palabra de la cruz, y predicárnosla a nosotros mismos, es la estrategia central para los pecadores en la pelea por el gozo»[3].

En nuestro pecado, constantemente encontramos que nuestras respuestas a la vida en nuestro mundo caído están desconectadas de la teología que confesamos. La ira, el miedo, el pánico, el desaliento, y la impaciencia acechan nuestros corazones y susurran en nuestros oídos un falso evangelio que alejará nuestra vida de lo que decimos creer. El campo de batalla está entre nuestros oídos. ¿Qué es lo que está cautivando tus pensamientos ociosos? ¿Qué temor o frustración está llenando tu tiempo libre? ¿Te oirás a ti mismo o comenzarás a hablar? No, la respuesta es predicar; no dejar que tus preocupaciones te moldeen, sino concebir tus preocupaciones por el poder del evangelio.

Predicarnos el evangelio a nosotros mismos es un hábito de gracia que es tanto proactivo como reactivo. Es reactivo cuando enfrentamos tentación y frustración y buscamos reabastecernos en el momento, o cuando reflexionamos sobre nuestro pecado y las circunstancias e intentamos evaluarlas con el lente del evangelio. Pero también es proactivo. Vamos a la ofensiva cuando alimentamos nuestras almas con cierto ritmo habitual antes de que las actividades, tareas y desilusiones de la vida diaria comiencen a surgir en nuestro camino.

Existe una diferencia entre simplemente recordarnos la verdad y predicarnos la verdad del evangelio. Es verdad que dos más dos da cuatro. Pero eso no sirve mucho para alimentar nuestra alma. No solo necesitamos algo que sea verdad, sino la verdad, el mensaje del evangelio. Lo que se requiere para predicarnos el evangelio es hacer una pausa, repasar alguna expresión del amor del Padre y del Hijo y su provisión de bondad, rescate y gozo para nosotros, y procurar de manera consciente que esa verdad nos moldee y permee nuestra realidad.

---

3 *Ibíd.*, 91.

En relación con la Escritura, es importante observar que la auto-predicación del evangelio no es lo mismo que la lectura de la Biblia, si bien las conexiones e interdependencias son profundas. En un sentido, las Escrituras proveen el material para predicarnos a nosotros mismos el evangelio de la gracia. Son el contenido que debe ser tomado y aplicado a nuestras vidas a la luz de la persona y la obra de Jesús.

A largo plazo, el mero hecho de oír el mismo evangelio envasado repetidas veces no será adecuado para fortalecer nuestra alma. Tampoco sostendrá nuestra vida espiritual el mero hecho de recibir información sin verla a la luz de Jesús, y llevarla a nuestro corazón[4].

---

4 Para ver un listado de diez «versículos del evangelio» en una oración y doce breves «pasajes del evangelio», ver el final del capítulo 5. Para ver más sobre la relación entre la recepción de la Biblia y la auto-predicación, ver David Mathis y Jonathan Parnell, *How to Stay Christian in Seminary* (Wheaton, IL: Crossway, 2014), 38–40.

Capítulo 2

Lee con amplitud,
estudia con profundidad

———

Leer bien la Biblia requiere algo de ciencia. Es importante conocer los fundamentos del lenguaje y la comunicación, de los
sujetos, los verbos, los objetos y las conjunciones. Se puede
ganar mucho repasando algunos elementos básicos del español
o leer algo sobre cómo leer.[1] Es útil tener buenos complementos
para el estudio, como panoramas generales, introducciones,
y comentarios confiables (especialmente para los profetas del
Antiguo Testamento), y tener un buen entendimiento de cómo
se armonizan las Escrituras en su conjunto.

Y así como aprendemos a andar en bicicleta con rueditas de
entrenamiento, puede ser útil tener a alguien que nos explique
algún método simple de «estudio bíblico inductivo» que incluya
los pasos de observación, interpretación y aplicación. En los
círculos cristianos que son serios en cuanto a la Biblia abundan
estos enfoques rudimentarios y fáciles de recordar. Estos recursos

---

1 Por ejemplo, Mortimer Adler y Charles Van Doren, *How to Read a Book: The Classic Guide
to Intelligent Reading* (Nueva York: Touchstone, 1972) y Tony Reinke, *Lit! A Christian Guide
to Reading Books* (Wheaton, IL: Crossway, 2011).

son un regalo para ayudarnos a avanzar y llegar a tener una noción de cuál es el siguiente paso para acercarnos a un libro por lo demás abrumadoramente extenso.

Pero la importancia de aprender un poco de la ciencia detrás de todo esto es estar preparados para bailar cuando la música comienza a sonar. Y lo mejor de la danza no es lo que se enseña en la clase, sino lo que se pone en práctica.

Leer bien la Biblia no es solo una ciencia; es un arte. La Biblia misma es una compilación especial de grandes obras de arte. Y la mejor manera de aprender el arte de leer la Biblia por ti mismo es esta: *léela tú mismo*.

Pregunta a un creyente maduro

Pregunta a un creyente maduro y experimentado que haya estado leyendo las Escrituras por sí mismo durante décadas. Observa si tiene una fórmula clara y certera para llevar a cabo su lectura diaria. ¿Tiene dos o tres pasos simples y fáciles de recordar que pone en práctica intencionalmente cada día? La respuesta posiblemente sea que no; con el tiempo ha aprendido que hay más arte que simples pasos.

O de manera más general, simplemente pregunta: ¿cómo llevas a cabo la lectura de la Biblia? Es posible que notes en su rostro que es una pregunta difícil de responder. No porque no haya algunas pequeñas sugerencias «científicas» básicas, como los fundamentos de la lectura y la comprensión, o los diversos patrones y métodos que ha desarrollado para alimentar su propia alma a lo largo de los años, sino porque ha aprendido que gran parte de la buena lectura de la Biblia es un arte. Es una habilidad aprendida al emprender la tarea, no tanto al recibir una enseñanza formal. Y aquellos que más han leído sus Biblias son los que mejor han aprendido el oficio.

Aprende el arte mediante la práctica

Ningún autor bíblico nos ofrece un acróstico claro y certero de cómo abordar la lectura diaria de la Biblia. Y tampoco encontrarás uno en este capítulo. Eso puede resultar desalentador para el principiante que quiere recibir ayuda, pero a largo plazo demuestra que es maravillosamente liberador. Puede ser de gran ayuda tener rueditas de entrenamiento por un tiempo, pero una vez que aprendemos a andar en bicicleta, esas cosas adicionales adheridas a los lados son terriblemente restrictivas y limitantes.

En última instancia, no hay nada que reemplace el hecho de encontrar un tiempo y lugar habitual, apartar las distracciones de la mente, meterse en el texto, y permitir que tu mente y tu corazón sean guiados, cautivados y motivados por Dios mismo al comunicarse con nosotros en sus palabras escritas objetivas.

Si te sientes incómodo con las Escrituras e incapacitado para el arte de leer la Biblia, lo mejor que puedes hacer es desarrollar un hábito regular de leer la Biblia por ti mismo. Nada sustituye unos pocos minutos cada día dedicados al texto. Te puede sorprender lo mucho que logran los pequeños pasos a largo plazo.

Por más que queramos una solución rápida, alguna lección acelerada que nos haga casi expertos en solo unos pocos minutos, lo mejor de la lectura de la Biblia no se aprende en una noche ni luego de un semestre de clases, sino día a día, semana a semana, mes a mes, y año a año, absorbiendo la Biblia, dejando que las palabras de Dios instruyan nuestra mente, inspiren nuestro corazón, eduquen nuestra vida. Es ahí cuando vemos que lentamente las luces se van encendiendo en todos lados al caminar por la vida, y seguimos caminando por los textos.

Descubre el arte de la meditación

Un consejo para cualquier plan de lectura de la Biblia, por más ambicioso que sea, es este: no permitas que la prisa por marcar casilleros te impida detenerte en un texto, ya sea para intentar entenderlo («estudio») o para gloriarte emocionalmente en aquello que ya entiendes («meditación»).

Piensa en tu lectura de la Biblia como una mirada regular al panorama bíblico para encontrar un lugar donde detenerte por unos momentos a meditar, que es el punto alto y el momento más edificante de la apropiación de la Biblia (veremos más sobre la meditación en el próximo capítulo). Busca la amplitud (en la lectura) y la profundidad (en el estudio), donde te detienes en algo que no entiendes, haces preguntas y ofreces respuestas, consultas recursos, y tal vez captas una breve reflexión en palabras o en un diagrama. Hay un momento en la lectura de la Biblia para «rastrillar» y reunir las hojas a un ritmo raudo, pero cuando «excavamos» en el estudio bíblico, desenterramos los diamantes. En la meditación, nos maravillamos con las piedras preciosas.

Leer la Biblia es como mirar una película en tiempo real. Estudiar es como revisar un cortometraje cuadro por cuadro. Entonces, la meditación junto con la memorización de la Escritura (capítulo 5), sirven para detenerse en cuadros específicos e imprimir su significado en nuestro corazón y en nuestra vida.

Crece al encontrar a Jesús

Una última cosa que decir sobre la lectura de la Biblia como un arte, y no simplemente como ciencia, es que Jesús enseñó a sus apóstoles a leer las Escrituras en lo que podríamos llamar un estilo artístico. La parte científica de la lectura de la Biblia es esencial, pero no es necesario que la lectura sea rígida, estrecha y modernista de manera tal que solamente las profecías más explícitas y específicas se apliquen a Cristo, o que el texto siempre sea «para los lectores originales» y nunca verdaderamente para nosotros.

Jesús mismo leyó las Escrituras con mucho más vuelo –sin inventar cosas, pero observando con los ojos de la fe lo que realmente hay ahí para ser visto bajo la superficie, fuera del alcance de la mente natural. Tal lectura profunda es un hábito adquirido mediante la práctica regular; no es un talento fácilmente transmitido; implica desarrollar el paladar apostólico para encontrar a Jesús en las Escrituras, rastreando la trayectoria de la gracia de Dios, en sus muchas texturas y tonalidades, sin caer en la incredulidad ni en una fantasía. Se trata de aprender con el apóstol Juan que «el testimonio de Jesús es el espíritu de la profecía» (Ap 19:10).

Y así, «partiendo de Moisés, y siguiendo por todos los profetas», Jesús mismo «comenzó a explicarles todos los pasajes de las Escrituras que hablaban de él» (Lc 24:27). Afirmó: «Abrahán se alegró al saber que vería mi día. Y lo vio, y se alegró» (Jn 8:56), y que «era necesario que se cumpliera todo lo que está escrito acerca de mí en la ley de Moisés, en los profetas y en los salmos» (Lc 24:44). Así que abrió sus mentes —más allá de su racionalidad estrecha y caída— para entender verdaderamente las Escrituras (Lc 24:45).

Al aprender a leer la Biblia no solo con el hemisferio izquierdo de nuestro cerebro sino con toda nuestra mente y corazón, vemos cada vez más cómo oían los apóstoles los susurros de las Escrituras, y que veían señales hacia Jesús en todos lados.

Resolución: leer la Biblia

Ya sea que te sientas como un principiante o como un veterano canoso, una de las cosas más importantes que puedes hacer es leer tú mismo la Biblia con regularidad.

Es maravilloso que tengamos Biblias que podamos leer de manera personal, cuando queramos. Durante la mayor parte de la historia de la iglesia, y aún hoy en muchos lugares del mundo, los cristianos no han tenido sus propias copias personales de la Biblia. Tenían que reunirse para oír a alguien que se la leyera. «Dedícate a la lectura pública de las Escrituras» (1Ti 4:13,

NVI); eso era lo único que tenían para recibir la Biblia, aparte de la memorización.

Pero ahora, con Biblias impresas y opciones electrónicas en abundancia, tenemos un acceso invaluable a las mismísimas palabras de Dios para nosotros, palabras que trágicamente somos tentados a tomar a la ligera. Leer su propia copia de la Biblia diariamente no es una ley que cada cristiano debe obedecer; la mayoría de los cristianos no han tenido esta posibilidad. Pero el hábito diario de leer la Biblia puede ser un medio maravilloso de la gracia de Dios. ¿Por qué perderse este regalo y bendición?

¿La Biblia entera?

«Toda la Escritura», dice 2 Timoteo 3:16, «es inspirada por Dios, y útil». Todo en la Escritura, desde Génesis 1 hasta Apocalipsis 22, existe para el bien de la iglesia. «Todo esto les sucedió como ejemplo, y quedó escrito *como advertencia para nosotros*, los que vivimos en los últimos tiempos» (1Co 10:11). «Las cosas que se escribieron antes, se escribieron *para nuestra enseñanza*, a fin de que tengamos esperanza por medio de la paciencia y la consolación de las Escrituras» (Ro 15:4).

Pero no todos los textos funcionan de la misma manera para edificar nuestra fe ni tienen el mismo efecto en todos los hijos de Dios del nuevo pacto. Leer toda la Biblia de principio a fin es algo maravilloso. Es algo que los pastores y maestros en la iglesia deberían considerar seriamente hacer cada año, permitiendo que toda la información bíblica atraviese sus ojos para inspirar sus posturas teológicas públicas. Pero este no es un yugo para que cargue todo cristiano cada año. (Aunque sería algo bueno que cada cristiano lo intente en algún momento, o al menos siga un plan de varios años para terminar de leer toda la Biblia en algún periodo).

Para aquellos que estén considerando la idea, puede sorprenderles cuán factible es hacerlo. Leer la Biblia de tapa a tapa lleva alrededor de setenta horas. Donald Whitney observa: «Eso es menos tiempo de lo que el estadounidense promedio pasa frente al televisor cada mes. En otras palabras, si la mayoría de las personas intercambiaran su tiempo de TV por la lectura de la Escritura, terminarían de leer toda la Biblia en cuatro semanas o menos. Si eso suena impracticable, considera esto: Dedicando no más de quince minutos por día puedes leer toda la Biblia en menos de un año»[2].

Tal vez este próximo año, o incluso ahora mismo, es tu tiempo para emprender la travesía. Con el paso de los años algunos de mis planes favoritos de lectura de la Biblia han sido M'Cheyne y The Kingdom, junto con el que más me gusta de *Discipleship Journal*[3].

O si toda la Biblia en un año parece fuera de tu alcance, intenta tomar un plan y avanzar a tu propio ritmo, aun si te toma varios años. Te dará un lugar específico donde avanzar cuando abres la Biblia, en vez de abrirla simplemente en algún texto al azar, y con el tiempo te dará la confianza de que has atravesado todo el terreno de la Escritura y al menos has vislumbrado la totalidad de la revelación escrita de Dios.

Más que solo rastrillar

Hasta aquí hemos hablado sobre leer la Biblia. El hábito de leer algunos minutos cada día puede ayudarnos a avanzar mucho en un periodo relativamente corto de tiempo. Pero cuando reducimos la velocidad y estudiamos, pronto nos damos cuenta de que estamos ante una tarea que nos demandará toda la vida. El

---

2 *Spiritual Disciplines for the Christian Life*, ed. rev. (Colorado Springs: NavPress, 2014), 29.
3 El plan de lectura de la Biblia de M'Cheyne está disponible en internet en http:// www .edginet .org /mcheyne/printables.html; The Kingdom, desarrollado por Jason DeRouchie, en http:// cdn .desiring god .org /pdf /blog /3325 FINAL .DeRouchie.pdf; y *Discipleship Journal*'s, de The Navigators, en https:// www .navigators .org /www navigators org /media /navigators /tools / Resources/Discipleship -Journal -Bible -Reading -Plan -9781617479083 .pdf.

estudio es trabajo arduo. La diferencia entre leer y estudiar me hace pensar en el trabajo de jardinería.

Rastrillar es una tarea relativamente sencilla y puede hacer que el jardín se vea mejor en poco tiempo. Es lo suficientemente fácil como para que incluso un niño de tres años pueda ayudar, con un rastrillo infantil que se puede conseguir en la ferretería del vecindario.

La tarea de rastrillar puede hacer que me duela un poco la espalda al día siguiente, pero no se compara en nada con la excavación que hicimos para preparar nuestro jardín delantero para hacer un pequeño muro de contención. Rastrillar, incluso si lo hacemos durante mucho tiempo, implica bastante poco dolor. Excavar, aunque sea muy poco, puede ser extenuante. Pero remover la tierra puede ser gloriosamente gratificante. Puede lograr mucho más para mejorar un jardín que simplemente recolectar las hojas —aunque mi lado blando aún tomaría el rastrillo de vez en cuando.

Profundizar en las palabras divinas

Entonces, tanto la lectura como el estudio tienen su espacio en la absorción de la Biblia, y necesitamos acordarnos periódicamente de reducir la velocidad, explorar, y profundizar al leer la Biblia. Sin duda, algunos cristianos están más acostumbrados a un ritmo lento, y necesitan el recordatorio de avanzar con mayor amplitud, mantener el contexto general en perspectiva, y reflexionar sobre el panorama global, y no solo sobre versículos aislados como pequeñas píldoras para el alma.

Pero otros tendemos a deslizarnos hacia el rastrillaje. Requiere menos energía, especialmente temprano en la mañana antes de que el café surta efecto, para continuar leyendo, tratando superficialmente el texto, en vez de reducir la velocidad, hacer preguntas, y tal vez incluso alcanzar algunas breves reflexiones. En un solo minuto podemos terminar otro capítulo y estar listos para marcar el casillero. Parece más desafiante tomar un lápiz, o abrir la computadora e ir directamente a un documento en blanco para escribir pensamientos, sin distraerse con los correos electrónicos, las redes sociales o cualquier otra cosa.

Mejorar el estudio bíblico

Para el cristiano que está buscando desarrollar la habilidad de alimentar su alma con las palabras de Dios, no hay nada que pueda reemplazar el hecho de zambullirse diariamente. Sí, puedes aprender algunas destrezas o técnicas aquí y allá, en un aula o en un libro sobre el estudio de la Biblia. Pero no necesitas ir al seminario para disfrutar con regularidad de un banquete en las Escrituras. La mayoría de quienes mejor leen y aplican la Biblia en el mundo tienen poca formación académica, o ninguna.

Es como en cualquier deporte. No hay nada que reemplace el hecho de ir al campo de juego y participar en el juego. Puedes hablar del tema durante cierto periodo de tiempo solamente, hasta que reconoces que la única manera de mejorar es practicar. Escuchar a predicadores y maestros talentosos y profundos es esencial. Usar buenas referencias es una ayuda importante.[4] Pero simplemente no hay nada que reemplace estudiar las Escrituras uno mismo, y hacerlo por un plazo prolongado.

No olvides tu pala

Al intentar alimentarnos diariamente de la despensa inagotable, necesitamos una dieta que combine amplitud y profundidad. Hay un momento para leer todos los libros de la Biblia de corrido, y un momento para profundizar sobre medio versículo. Para mantenernos saludables en la aplicación del evangelio a nuestras

---

4 Yo recomiendo la *ESV Study Bible*, ed. Wayne Grudem et al. (Wheaton, IL: Crossway, 2008); D. A. Carson y Douglas J. Moo, *Una introducción al Nuevo Testamento* (Barcelona: CLIE, 2008); Tremper Longman III y Raymond B. Dillard, *An Introduction to the Old Testament*, 2a ed. (Grand Rapids, MI: Zondervan, 2006).

vidas, se requiere tanto un entendimiento creciente del panorama general del rescate de los pecadores por parte de Jesús, así como una profundidad cada vez mayor de las pequeñas partes que componen ese panorama general.

Sin rastrillar, no tendremos un conocimiento suficiente de la superficie como para excavar en los lugares correctos. Y sin excavar, y sin asegurarnos de que el estandarte de nuestra teología esté firmemente establecido en oraciones y párrafos bíblicos específicos, nuestros recursos pronto se secarán y no podrán alimentar nuestras almas con diversidad de nutrientes y sabores.

Descubre los diamantes

En la introducción a su libro *Future Grace*, John Piper celebra el lugar de la «reflexión sin prisa», y sugiere al lector que se haga el tiempo necesario.

> ¡Oh, las riquezas del entendimiento que se obtienen al detenerse a reflexionar sobre una nueva idea —o una nueva expresión de una idea antigua! Desearía que este libro fuera leído de la misma manera que el apóstol Pablo quiso que Timoteo leyera sus cartas: «*Considera* lo que digo, y el Señor te dé entendimiento en todo» (2 Timoteo 2:7).
>
> Todo libro que vale la pena leer hace un llamado con las palabras «*considera* lo que te digo» ... Cuando mis hijos se quejan de que un libro es demasiado difícil de leer, yo digo: «Rastrillar es fácil, pero lo único que se obtiene son hojas; excavar es difícil, pero podrías encontrar diamantes»[5].

Y si esto es cierto sobre cualquier libro que valga la pena leer, cuánto más para el Libro de Dios. Rastrillemos con amplitud y juntemos las hojas. Y también excavemos con profundidad buscando los diamantes.

---

5 *Future Grace: The Purifying Power of the Promises of God*, rev. ed. (Colorado Springs: Multnomah, 2012), 10.

El factor X en la lectura de la Biblia

Antes de terminar este capítulo sobre la lectura y el estudio de la Biblia, necesitamos considerar un tema importante y misterioso. Podríamos llamarlo el factor X en la lectura y el estudio de la Biblia.

La Biblia no es un libro mágico, pero un poder extraño y enigmático se mueve cuando abrimos las Escrituras. Cuando oímos las palabras de Dios leídas o predicadas, y cuando las leemos o estudiamos, ocurre algo inspirador, aunque invisible. Algo sobrenatural, pero imperceptible, sucede cuando vemos el texto frente a nosotros y lo llevamos adentro de nuestra alma. Alguien invisible se mueve.

Él es una fuerza personal, totalmente divino y llena de misterio; más persona que tú y yo, y sin embargo es también un poder indomable y en última instancia irresistible. Él convierte lo que parece simple en algo sobrenatural cuando la lectura de la Biblia nos lleva más allá del ámbito de nuestro control.

Él ama fortalecer las almas humanas de maneras obvias y sutiles cuando nos encontramos con la Palabra de Dios — ya sea que esa Palabra es el Cristo encarnado, la palabra del evangelio para salvación de los pecadores, o la Palabra escrita en las Escrituras.

Por mucho que queramos dominar el hábito de alimentarnos de la Biblia, y establecer una relación de causa y efecto a partir de alguna acción que realicemos que resulte en cierta satisfacción de nuestra alma, el Ayudador opone resistencia a nuestros esfuerzos por cosificar la gracia. Él permanece con nosotros en silencio. Obra misteriosamente, fuera de nuestro control. De manera imperceptible nos moldea esta mañana para formar la persona que debemos ser esta tarde, y la próxima semana. Sus manos actúan de manera impalpable mientras moldea nuestra mente, labra nuestro corazón, talla nuestra voluntad, y reduce nuestras callosidades.

No solo se mueve sobre la superficie de las aguas (Gn 1:2) y sobre todo el espacio creado, dispuesto a ejecutar la voluntad del Padre y extender el reino del Hijo glorificado. También se mueve con un cuidado especial sobre la palabra divina —ya sea encarnada, hablada o escrita— preparado para despertar almas muertas, abrir ojos iegos y templar corazones fríos. Está preparado para dar testimonio acerca del Hijo (Jn 15:26), preparado para glorificarlo (Jn 16:14).

Fue mediante este Ayudador que el evangelio vino primeramente a nosotros «no solamente en palabras, sino también en poder» (1Ts 1:5), y fue con su gozo que «recibieron la palabra… aún en medio de muchos sufrimientos» (1Ts 1:6). Fue por él que «Dios los ha escogido para salvación, mediante la santificación» (2Ts 2:13).

Con él en mente, Jesús dijo a la mujer samaritana: «Viene la hora, y ya llegó, cuando los verdaderos adoradores adorarán al Padre en espíritu y en verdad; porque también el Padre busca que lo adoren tales adoradores. Dios es Espíritu; y es necesario que los que lo adoran, lo adoren en espíritu y en verdad» (Jn 4:23–24).

Él es aquel mediante quien ahora se nos revela «la sabiduría oculta y misteriosa de Dios, que desde hace mucho tiempo Dios había predestinado para nuestra gloria» (1Co 2:7–10). Nuestro Ayudador es quien lo examina todo, aun las profundidades de Dios (1Co 2:10). Nadie conoce las cosas de Dios, sino el Espíritu de Dios (1Co 2:11). Él es aquel a quien ha recibido el que verdaderamente ha nacido de nuevo «para que entendamos lo que Dios nos ha dado» (1Co 2:12). Así que cuando comunicamos el mensaje y la enseñanza cristiana, «hablamos, pero no con palabras aprendidas de la sabiduría humana, sino con las que enseña el Espíritu, que explican las cosas espirituales con términos espirituales» (1Co 2:13).

Él es el prometido, con quien fuimos sellados «luego de haber oído la palabra de verdad, que es el evangelio que los lleva a la salvación, y luego de haber creído en él [Jesús]» (Ef 1:13). Se dice que la Palabra de Dios es su espada (Ef 6:17).

Cuando nos aislamos con la Biblia, no estamos solos. Dios no nos ha dejado para que por nuestra cuenta entendamos sus palabras y alimentemos nuestra alma. Sin importar cuán escasa sea tu formación, o cuán irregular sea tu rutina, el Ayudador permanece presto. Toma el texto confiando en que Dios está preparado para bendecir tu ser con su mismísimo soplo.

La lectura y el estudio de la Biblia como hábitos de gracia van más allá de lo que podemos ver. Existe una variable que no podemos controlar. Un poder enigmático que no podemos dominar. Una bondad misteriosa que solamente podemos recibir.

Él es el Espíritu Santo.

Capítulo 3

Acércate al calor del fuego de la meditación

―――

Fuimos creados para meditar. Dios nos diseñó con la capacidad de hacer una pausa y reflexionar. Él no quiere simplemente que lo oigamos, que solo leamos rápidamente lo que dice, sino que reflexionemos sobre lo que dice y lo trabajemos en nuestro corazón.

Es un rasgo particularmente humano el hecho de frenar y considerar, mascar algo con los dientes de nuestra mente y nuestro corazón, dar vueltas sobre alguna realidad en nuestros pensamientos y aplicarlo con intensidad en nuestros sentimientos, observar algo desde diferentes ángulos e intentar entender mejor su significado.

El nombre bíblico para este arte es *meditación*, la cual Donald S. Whitney define como «una reflexión profunda sobre las verdades y las realidades espirituales reveladas en la Escritura teniendo como propósitos la comprensión, la aplicación y la oración»[1]. Es un medio maravilloso de la gracia de Dios en la

―――

1 *Spiritual Disciplines for the Christian Life*, ed. rev. (Colorado Springs: NavPress, 2014), 46.

vida cristiana. Tal vez sea la disciplina menos comprendida y más subestimada en la iglesia de hoy. Y es el punto culminante de la asimilación de la Palabra de Dios.

La meditación en el cristianismo

Ya que hemos sido creados para meditar, no debería sorprendernos que las religiones globales hayan adquirido esta actividad, y los nuevos movimientos intenten usar sus resultados prácticos, ya sea para cultivar la salud del cerebro o reducir la presión arterial. Sin embargo, la meditación cristiana es intrínsecamente diferente de la «meditación» popularmente incorporada por varios sistemas no cristianos. No implica vaciar nuestra mente, sino más bien llenarla con fundamentos bíblicos y teológicos —la verdad que está por fuera de nosotros— y luego reflexionar sobre ese contenido, hasta que comenzamos a sentir parte de su magnitud en nuestro corazón.

Para los cristianos, la meditación significa hacer que «la palabra de Dios habite ricamente en nosotros» (Col 3:16). No es como la meditación secular que implica «no hacer nada y sintonizarte con tu propia mente al mismo tiempo», sino alimentar nuestra mente con las palabras de Dios y digerirlas lentamente, degustando la textura, disfrutando las salsas, apreciando el sabor de una comida tan exquisita. La meditación verdaderamente cristiana es guiada por el evangelio, moldeada por las Escrituras, dependiente del Espíritu Santo, y ejercida en fe. No solo de pan vive el hombre, y la meditación es saborear lentamente la comida.

La meditación día y noche

Tal vez sea por las múltiples distracciones de la vida moderna, y los crecientes trastornos de la corrupción del pecado, pero la meditación es un arte perdido, hoy más que en la época de nuestros padres de la fe. Se nos dice que «era la hora de la tarde, e Isaac había salido al campo, para meditar» (Gn 24:63), y tres de los textos más importantes de las Escrituras hebreas, entre otros, exigen la meditación, de tal manera que deberíamos sentarnos y tomar nota; o mejor aún, reducir la velocidad, bloquear las distracciones, y considerar seriamente el asunto.

El primer pasaje es Josué 1:8. En un momento clave en la historia de la redención, después de la muerte de Moisés, Dios mismo habla con Josué y tres veces le da una directiva clara: «Esfuérzate y sé valiente» (Jos 1:6, 7, 9). ¿Cómo debe hacerlo? ¿Dónde llenará su tanque con tal fortaleza y valentía? En la meditación. «Procura que nunca se aparte de tus labios este libro de la ley. *Medita en él de día y de noche*» (Jos 1:8).

Dios no pretende que Josué simplemente esté familiarizado con el Libro, o que lea secciones rápidamente por la mañana, o ni siquiera que profundice en el estudio, sino que sea cautivado por ese Libro y base su vida sobre sus verdades. Los pensamientos de su tiempo libre deberían dirigirse allí, su mente ociosa debería ser atraída hacia allí. Las palabras de instrucción de Dios deben saturar su vida, darle dirección, moldear su mente, dar forma a sus costumbres, motivar sus deseos, e inspirar sus acciones.

La meditación en los Salmos

Dos textos clave aparecen en el primer salmo y en el salmo más largo. El Salmo 1:1-2 se hace eco del lenguaje de Josué 1: «Bienaventurado el hombre… que se deleita en la ley del Señor, y día y noche medita en ella». El bienaventurado, el hombre feliz, aquel que se deleita en la Palabra de Dios, no aprovecha las palabras de vida simplemente con una lectura rápida, enfatizada con algunos momentos de estudio, sino que «día y noche medita en ella».

La meditación domina casi todo el Salmo 119 con su celebración de las palabras de Dios, mientras el salmista dice que medita «en tus mandamientos» (vv. 15 y 78), «en tus estatutos»

(vv. 23 y 48), y «en tus maravillas» (v. 27). Él afirma: «Tus testimonios son mi meditación» (v. 99) y exclama: «¡Cuánto amo yo tus enseñanzas! ¡Todo el día medito en ellas!» (v. 97). Si la instrucción de Dios en el antiguo pacto pudo ser tan preciosa para el salmista, cuánto más debería el evangelio del nuevo pacto cautivar nuestra meditación.

La meditación es el eslabón perdido

La meditación en las Escrituras ha ocupado un lugar profundo y persistente en la historia de la iglesia como uno de los medios más poderosos de la gracia de Dios para su pueblo. En particular, los puritanos celebraron el don de la meditación más que nadie, e hicieron notar su relación vital con la acción de oír la voz de Dios (la lectura de la Biblia) y hablarle al oído (la oración). Whitney enumera a varios puritanos prominentes para mostrar que la meditación es «el eslabón perdido entre la lectura de la Biblia y la oración», y al hacerlo, nos lleva a algunos consejos prácticos para la meditación cristiana[2]:

- «*Comienza leyendo o escuchando. Continúa con la meditación; termina en la oración*» (William Bridge, «The Work and the Way of Meditation»).
- «La Palabra alimenta la meditación, y la meditación alimenta la oración... La meditación debe venir después de oír y antes de orar... Lo que ingerimos por la Palabra, lo digerimos en la meditación y lo liberamos en la oración» (Thomas Manton, *Complete Works*, vol. 17).
- «La razón por la que salimos con tanta frialdad del momento de leer la Biblia es que no nos acercamos al fuego de la meditación» (Thomas Watson, «How We May Read the Scriptures with Most Spiritual Profit», dir. 8).

---

2 *Ibíd.*, 86–93. La meditación como «disciplina puente» entre las acciones de oír a Dios en su Palabra y responderle en oración es también un tema principal en Timothy Keller, *La Oración: Experimentando asombro e intimidad con Dios* (Nashville: B&H, 2016).

- «La gran razón por la que nuestras oraciones son infructuosas es que no meditamos antes de orar» (William Bates, «On Divine Meditation», cap. 4).

Por lo tanto, la meditación para el cristiano es una disciplina que tiene una cierta función relacionada con otras disciplinas. No está aislada, herméticamente sellada para la revelación que Dios hace de sí mismo en la Biblia y nuestra reverente respuesta en oración. Más bien, *la meditación tiende un puente* entre oír a Dios y hablarle.

En la meditación, hacemos una pausa y reflexionamos sobre sus palabras, las cuales hemos leído, oído o estudiado. Las hacemos dar vueltas en nuestra mente y permitimos que enciendan nuestro corazón; nos «acercamos al calor de la meditación». Profundizamos en la revelación de Dios, la llevamos a nuestra propia alma, y al ser transformados por su verdad, respondemos en oración. Como dice Matthew Henry: «Así como la meditación es la mejor preparación para la oración, también la oración es el mejor tema para meditar»[3].

Verdadera sanidad

La meditación cristiana no se refiere tanto a la postura de nuestro cuerpo, sino más bien a la postura de nuestra alma. Nuestras instrucciones no son: siéntate en el suelo con las piernas cruzadas, o siéntate en una silla con ambos pies sobre el suelo y la espalda derecha, con las palmas de las manos mirando hacia arriba. La meditación cristiana comienza con nuestros ojos en el Libro, o los oídos abiertos a la Palabra, o una mente abastecida con Escrituras memorizadas.

Tal vez comenzamos con una lectura amplia de la Biblia de la cual seleccionamos un versículo o frase en particular que captó

---

3 Citado en Donald S. Whitney, *Spiritual Disciplines for the Christian Life*, ed. rev. (Colorado Springs: NavPress, 2014), 88.

nuestra atención, y nos dedicamos varios minutos a profundizar esa reflexión. Luego, con intencionalidad y enfoque —en general mejor aún con un bolígrafo en mano o con los dedos sobre el teclado— intentamos comprender mejor las palabras de Dios y acercar nuestras almas al calor de su fuego, y le permitimos guiarnos en la oración y luego durante el día.

En nuestra sociedad inquieta y estresada, la práctica del arte de la meditación cristiana ciertamente puede fortalecer nuestro cerebro y reducir nuestra presión arterial. Pero aún más significativo será lo bien que le hace a nuestra alma.

====

El punto culminante de las devociones diarias

Yo pienso que la meditación es el punto culminante de mi tiempo devocional diario. Luego de comenzar con una breve oración pidiendo la ayuda de Dios, leo los pasajes asignados para el día en el plan de lectura de la Biblia. Mientras leo, estoy buscando cómo el pasaje se relaciona con Jesús, y voy observando si hay frases, versículos o secciones que llamen mi atención para la meditación o el estudio. Si es algo para estudiar, y es simplemente una pregunta rápida, puedo verificar las referencias cruzadas, un comentario o una nota en la Biblia de estudio. Si la pregunta es más desafiante, tomo nota para estudiar con mayor profundidad en otro momento del día o en la semana, en vez de permitir que eso me distraiga de mi tiempo matutino de devoción. (Más tarde regreso a algunas de estas notas para seguir estudiando; pero a veces no encuentro el tiempo para hacerlo y dejo algunas notas hasta la próxima vez que me cruce con ese texto en mi lectura.)

Si durante mi lectura encuentro una sección de la Escritura que me inspire a meditar, puedo sencillamente detenerme allí, y luego avanzo hacia la oración y comienzo el día, sin sentir necesidad de regresar a leer el resto de los pasajes asignados. Una y otra vez me recuerdo a mí mismo que no se trata de marcar casillas, sino de encontrarse con Dios en sus palabras a través de la meditación y en la oración. De alguna manera, pienso que los pasajes asignados son como el alimento bíblico para satisfacer mi alma con la meditación y servir como puente hacia la oración.

Capítulo 4

Aplica la Biblia a tu corazón

———

Todos queremos ser «hacedores de la palabra, y no tan solamente oidores» (Stg 1:22, RVR1960). ¿Quién quiere sentirse como un fracaso o cargar con la vergüenza de ser encasillado como alguien «que se mira a sí mismo en un espejo… pero en cuanto se va, se olvida de cómo es» (Stg 1:23–24)? Pareciera que la aplicación de la Biblia es una disciplina espiritual esencial que debemos buscar intencionalmente cada vez que nos encontramos con la Palabra de Dios; pero eso depende de cómo definamos la «aplicación».

La pregunta clave que necesitamos responder en este capítulo es, ¿qué resultado debería tener la lectura regular de la Biblia en nuestro corazón y en nuestra vida —y *cómo* ocurre eso?

La Palabra de Dios es para ti

De partida, deberíamos dejar en claro que el hecho de intentar aplicar las palabras de Dios a nuestras vidas está fundamentado en el buen instinto de que *la Biblia es para nosotros*. El optimismo sobre la aplicación en la vida se afirma bien con estas maravillosas declaraciones de que *toda la Escritura* es para los cristianos:

- «Toda la Escritura es inspirada por Dios, y útil para enseñar, para redargüir, para corregir, para instruir en justicia, a fin de que el hombre de Dios sea perfecto, enteramente preparado para toda buena obra» (2Ti 3:16–17).

- «Pero todo esto sucedió como un ejemplo para nosotros, a fin de que no codiciemos cosas malas, como ellos lo hicieron... y quedó escrito como advertencia para nosotros, los que vivimos en los últimos tiempos» (1Co 10:6, 11).

- «Las cosas que se escribieron antes, se escribieron para nuestra enseñanza, a fin de que tengamos esperanza por medio de la paciencia y la consolación de las Escrituras» (Ro 15:4).

Toda la Biblia es para toda la iglesia. Tenemos una buena garantía bíblica para acercarnos a las palabras de Dios esperando que sean entendibles y aplicables. Deberíamos prestar atención al consejo del predicador puritano Thomas Watson cuando abrimos el Libro:

> Tomen cada palabra como dirigida a ustedes mismos. Cuando la Palabra resuena contra el pecado, piensen así: «Dios toma en serio mis pecados»; cuando exige un deber: «Dios quiere que lo haga». Muchas personas se desentienden de la Escritura, como si esta solo fuera importante para las personas que vivían en el tiempo en que fue escrita; pero si quieres sacarle provecho a la Palabra, aprópiate de ella: un medicamento no hará ningún bien a menos que sea aplicado[1].

Sí, toma cada Palabra como dirigida a ti mismo, con esta ancla esencial en su lugar: procura entender primeramente cómo fueron recibidas las palabras de Dios por los oyentes originales, y cómo se relacionan con la persona y la obra de Jesús, y luego tráelas a tu propia vida. Busquemos la aplicación a nuestra vida en tanto que Dios nos habla hoy a través de la comprensión, iluminada

---

1 Citado en Donald S. Whitney, *Spiritual Disciplines for the Christian Life*, ed. rev. (Colorado Springs: NavPress, 2014), 71.

por el Espíritu, de aquello que el autor humano inspirado dijo a sus lectores originales en el texto bíblico.

¿Aplicaciones específicas para cada día?

Entonces, ¿es correcto pensar en la «aplicación» como un medio diario de la gracia de Dios? ¿Es una disciplina espiritual que deba ser buscada en cada encuentro con la Biblia? La respuesta es sí y no, dependiendo del significado que le demos a la *aplicación*.

Algunos buenos maestros dicen que cada encuentro con la Palabra de Dios debería incluir al menos una aplicación específica a nuestra vida, alguna enseñanza particular, por más pequeña que sea, sobre quiénes somos o sobre nuestro listado diario de actividades. Hay una intención sabia en esa actitud: impulsarnos a no ser solamente oidores de la Palabra de Dios, sino hacedores. Pero un enfoque simplista como ese pasa por alto la naturaleza más compleja de la vida cristiana, y el hecho de que el cambio verdadero y duradero ocurre de una manera menos directa de lo que solemos pensar.

Es útil reconocer que la mayor parte de nuestras vidas se vive de manera espontánea. Más del 99 por ciento de nuestras decisiones diarias sobre diferentes temas ocurren sin una reflexión inmediata. Simplemente actuamos. Nuestras vidas fluyen desde el tipo de persona que somos —el tipo de personas que hemos llegado a ser— en lugar de ser el resultado de una sucesión de pausas para reflexionar.

Y así es precisamente la manera en que el apóstol ora por nosotros. Él no pide que Dios nos otorgue una obediencia simple a un listado claro de cosas por hacer, sino que nos dé sabiduría para discernir su voluntad al enfrentar las muchas decisiones de la vida que nos llegan sin pausa. Pablo ora:

- que sean transformados «por medio de la renovación de su mente, para que comprueben cuál es la voluntad de Dios, lo que es bueno, agradable y perfecto» (Ro 12:2);
- que su amor «abunde aún más y más en ciencia y en todo conocimiento, para que aprueben lo mejor» (Fil 1:9–10);
- que «Dios los llene del conocimiento de su voluntad en toda sabiduría e inteligencia espiritual, para que vivan como es digno del Señor, es decir, siempre haciendo todo lo que a él le agrada, produciendo los frutos de toda buena obra, y creciendo en el conocimiento de Dios» (Col 1:9–10).

En vez de dictar acciones específicas, el apóstol quiere vernos moldeados al tipo de personas que son capaces de comprobar «lo que es agradable al Señor» (Ef 5:10), y luego actuar en consecuencia.

La Palabra de Dios sirve para ver

Así, como dice John Piper: «Una vida piadosa se vive con un corazón asombrado —un corazón que es asombrado por la gracia. Nos acercamos a la Biblia para ser asombrados, para ser maravillados por Dios, por Cristo, por la cruz, por la gracia y por el evangelio»[2]. Tal asombro es el tipo de aplicación más importante que debemos buscar al encontrarnos con la Palabra de Dios. Introduce la Escritura en tu alma. Ora por el despertar de tus sentimientos. Aplica la Biblia a tu corazón. Es realmente otra forma de recomendar la meditación.

Al ser cautivados nuevamente por la grandeza de nuestro Dios y de su evangelio, llegamos a ser aquello que contemplamos: «Todos nosotros, que miramos la gloria del Señor a cara descubierta, como en un espejo, somos transformados de gloria en gloria en la misma imagen» (2Co 3:18). Así que al terminar

---

2 «Must Bible Reading Always End with Application?», *Ask Pastor John*, episodio 26, desiringGod.org, 13 Febrero de 2013, http:// www .desiringgod .org /interviews /must -bible -reading -always-end -with -application.

de leer la Biblia salimos con un alma más satisfecha, que imparte un aroma y un semblante a nuestras vidas y a la toma de decisiones que afecta todo lo demás.

Meditar en las palabras de Dios moldea nuestra alma. A veces brinda puntos de aplicación inmediatos y específicos; recíbelos cuando vengan. Pero tengamos cuidado de no permitir que el impulso por las acciones específicas desvíe el enfoque de nuestras devociones sobre el asombro y la búsqueda de que tu alma sea feliz en el Señor. El acercarse a las Escrituras para ver y sentir conduce a un enfoque radicalmente diferente del hecho de ir principalmente para hacer algo.

La Biblia es gloriosamente para nosotros, pero no es principalmente sobre nosotros. Vamos más profundo por causa de *aquel a quien* veremos, no por lo que debemos hacer. Piper aconseja: «Llega a ser un tipo de persona, no elabores un largo listado»[3].

La bendición de traer la Biblia al corazón

Este es el camino al florecimiento que entrevemos en el antiguo pacto en Josué 1:8; meditación, luego aplicación, luego bendición:

> Procura que nunca se aparte de tus labios este libro de la ley. Medita en él de día y de noche, para que actúes de acuerdo con todo lo que está escrito en él. Así harás que prospere tu camino, y todo te saldrá bien.

Cuando la lectura de la Biblia apunta primero al asombro (la meditación y la adoración), obra primero en nuestro corazón y transforma nuestra persona, lo cual después nos prepara para la aplicación. Y la aplicación de las palabras de Dios a nuestra vida nos prepara para la bendición de Dios a nuestra alma: «Así harás que prospere tu camino, y todo te saldrá bien». Así que aplicar las palabras de Dios a nuestra vida no es solamente

---

3 *Ibíd.*

un resultado de su gracia en nosotros, sino que también es un medio para recibir mayor gracia.

Jesús dice en Juan 13:17: «Si saben estas cosas, y las hacen, serán bienaventurados». Así también Santiago 1:25 promete que alguien que no es solamente un oidor de la Palabra sino que «la practica, será dichoso en todo lo que haga».

Cuando traemos las palabras de Dios a nuestro corazón, y luego las aplicamos a nuestra vida mediante un corazón maravillado y transformado, resulta ser un gran medio de gracia para nosotros. Él ama bendecir la verdadera aplicación de su Palabra a nuestra vida.

Capítulo 5

Memoriza la mente de Dios

===

Tal vez hayas oído mil veces el discurso sobre memorizar las Escrituras. Ya estás persuadido de que los beneficios serían incalculables, y que no puede haber mejor uso de tu tiempo que guardar la Palabra de Dios en tu corazón y atesorarla para el futuro. Pero lo has intentado una y otra vez, y nunca lograste que la magia funcione.

Tal vez la idea de memorizar las Escrituras te hace revivir algún recuerdo que no puedes olvidar de cómo aprendías cosas de memoria en la escuela primaria, o finalmente te has rendido y le has echado la culpa de tus fracasos a la mala memoria. Sabes que sería algo maravilloso atesorar algunos pasajes de la Escritura, o tener un arsenal de armas almacenadas para ser usadas por el Espíritu. Pero si todo se enfoca en guardarlo para algún tiempo futuro incierto, y no tiene mucho que ver con el hoy, posiblemente no sientas mucha urgencia en hacerlo.

Pero tal vez puedas lograr un avance con un simple cambio de perspectiva. ¿Qué pasaría si la memorización de la Escritura sirviera realmente para el hoy? Al menos por un minuto, olvida las próximas décadas; deja a un lado la letanía de revisiones diarias de textos memorizados anteriormente; abandona la mentalidad de preparar un depósito y acumular, al menos como motivación. En cambio, enfócate en el presente. En el mejor de los casos, la memorización de la Escritura pretende alimentar tu alma hoy y asemejar tu vida y tu mente a la vida y la mente del mismísimo Dios.

Moldea tu mente para el día de hoy

Está perfecto acumular tesoros brillantes y armas punzantes para usar en el futuro, pero si eres como yo, encontrarás que es demasiado fácil postergar la memorización de la Escritura cuando cada día ya tiene sus propios problemas (Mt 6:34). Tal vez lo que has necesitado descubrir para finalmente lograr algunos avances es simplemente aplicar esta oración del Padre Nuestro a la memorización de la Biblia: *El pan nuestro de cada día, dánoslo hoy* (Mt 6:11).

Cuando aprendemos las Escrituras de memoria, no estamos simplemente memorizando textos antiguos, cuya importancia perdura en el tiempo, sino que estamos escuchando y aprendiendo de la voz de nuestro Creador y Redentor. Cuando memorizamos oraciones de la Biblia, de manera consciente estamos moldeando nuestra mente para imitar la estructura y la disposición de la mente de Dios.

Una buena teología moldea nuestra mente de una manera general para que pensemos los pensamientos de Dios como lo hace él. Pero la memorización de la Escritura moldea nuestra mente, con la mayor especificidad humanamente posible, para imitar las características de la mente de Dios. La teología nos lleva al estadio; la memorización de la Escritura, a la sede del club.

Así, memorizar la Biblia no solo nos prepara para los imprevistos de algún día cuando podamos hacer uso de un versículo memorizado al ofrecer un consejo, dar testimonio o luchar contra el pecado, sino que también contribuye poderosamente en el presente para hacernos el tipo de persona que camina en el Espíritu hoy. Contribuye en este mismo momento para ser renovados «en el espíritu de su mente» (Ef 4:23) y ser transformados «por medio de la renovación de su mente, para que comprueben cuál es la voluntad de Dios, lo que es bueno, agradable y perfecto» (Ro 12:2). Entonces, el hecho de memorizar las Escrituras no es algo a lo que podríamos acceder para tomar decisiones en el futuro y luchar contra la tentación en diversos contextos, sino que, en tanto que entendemos y nos involucramos en el significado del texto, la memorización nos cambia la mente en el presente para que lleguemos a ser el tipo de persona que «discierne cuál es la voluntad de Dios».

Por lo tanto, memorizar las palabras de Dios hoy no es solo un depósito en una cuenta para el mañana, sino un recurso obrando en beneficio nuestro en el presente.

Algunos lo llaman «meditación»

Notemos la aclaración anterior: «En tanto que entendemos y nos involucramos en el significado del texto». Es decir, debemos inundar el proceso de la memorización con el hábito de gracia y el arte perdido que tratamos en el capítulo 3: la meditación.

No hay nada en la meditación que pertenezca necesariamente a la nueva era o sea algo trascendental. La versión clásica, mencionada a lo largo de la Biblia, implica pensar profundamente sobre alguna verdad que sale de la boca de Dios, y hacerla dar vueltas en nuestra mente por el tiempo necesario hasta sentir su significado en nuestro corazón, y luego incluso comenzar a concebir su aplicación en nuestra vida. Hacer que la meditación avance en conjunto con la memorización de la Escritura conlleva un resultado tremendo en cómo enfrentamos el arduo proceso de memorizar. Por un lado, nos hace reducir la velocidad. Podemos memorizar cosas mucho más rápidamente si no nos detenemos a comprender y reflexionar. Pero la memorización por sí sola sirve de muy poco; la meditación nos hace mucho bien. Cuando tomamos en serio la meditación, no solo tratamos de entender lo que estamos memorizando, sino también nos detenemos a examinarlo, a sentirlo e incluso a comenzar a aplicarlo mientras lo memorizamos.

Cuando unimos la memorización de la Escritura con la meditación, no estamos simplemente atesorando algo para una futura transformación, sino disfrutando el alimento para nuestra alma hoy y experimentando la transformación ahora. Y cuando el enfoque está puesto más en alimentar y moldear, entonces la revisión constante es menos importante. Los textos que fueron una vez memorizados, y ahora olvidados, no son una tragedia, sino una oportunidad para meditar nuevamente y moldear aún más nuestra mente.

Restablece tu mente en las cosas del Espíritu

Otro beneficio importante para hoy, no solo para el futuro, es que la memorización de la Biblia junto con la meditación vuelven a enfocar nuestra mente para las actividades del día. Es una manera de restablecer nuestra atención «en lo que es del Espíritu» y luego seguir «los pasos del Espíritu» (Ro 8:5), lo cual «es vida y paz» (Ro 8:6).

La combinación de la meditación con la memorización nos ayuda a obedecer el mandato de Colosenses 3:2: «Pongan la mira en las cosas del cielo». Nos prepara para el día con «verdades espirituales para quienes son espirituales», en vez de caminar como «el hombre natural», quien «no percibe las cosas que son del Espíritu de Dios (1Co 2:13–14). Y cuando nos enfocamos en las cosas del Espíritu moldeando nuestra mente con las palabras de Dios, el resultado es simplemente extraordinario. Pablo pregunta con Isaías: «¿Quién conoció *la mente del Señor*? ¿O quién podrá instruirlo?», y responde con esta deslumbrante revelación: «Nosotros tenemos *la mente de Cristo*» (1Co 2:16; ver Is 40:13).

La mente de Cristo es tuya

En otras palabras, el apóstol tiene dos respuestas a la pregunta: *¿quién conoció la mente del Señor?* La primera está implícita en la pregunta retórica de Romanos 11:34: «¿Quién ha entendido *la mente del Señor?* ¿O quién ha sido su consejero?» Respuesta: nadie. Su mente nos excede infinitamente. «¡Cuán incomprensibles son sus juicios, e inescrutables sus caminos!» (Ro 11:33). Ningún ser humano puede conocer en su totalidad la mente de Dios.

Y sin embargo Pablo ofrece esta segunda respuesta en 1 Corintios 2:16: «Nosotros tenemos *la mente de Cristo*». Al entender las Escrituras, además de leerlas y estudiarlas, y luego meditar en ellas y memorizarlas, de manera creciente «tenemos la mente de Cristo» al ser transformados a su imagen. No podemos conocer con exhaustividad la mente de Dios, pero podemos lograr avances verdaderos por etapas. Y la mejor manera, o la única, de imprimir la mente de Dios en nuestra mente es la memorización, con meditación, de lo que él ha dicho tan claramente en las Escrituras.

Dos grandes consecuencias

Otro texto menciona «la mente de Cristo» y muestra dos grandes consecuencias del hecho de memorizar la mente de Dios. Filipenses 2:5, como introducción al famoso «himno de Cristo» de Filipenses 2:6-11 dice: «Que haya en ustedes el mismo *sentir* que hubo en Cristo Jesús». ¿Qué querrá decir eso en nuestra vida? Del contexto inmediato surgen dos cuestiones claras: *unidad* (Fil 1:27-2:2) y *humildad* (Fil 2:3-4).

No existe mejor oportunidad para afinar la armonía en el cuerpo de Cristo que el hecho de que los miembros se esfuercen juntos por conformar sus mentes a la mente de Cristo, no solo con conceptos cristianos sino con las mismas palabras de Dios. Tener la mente de Cristo nos hará catalizadores de una comunidad cuyos integrantes permanecen «firmes, en un mismo espíritu y luchando unánimes por la fe del evangelio» (Fil 1:27), y «sintiendo lo mismo, teniendo el mismo amor, unánimes, sintiendo una misma cosa» (Fil 2:2).

Y tal «unidad de mente» va de la mano con la «humildad» en 1 Pedro 3:8. Pocas cosas cultivan la humildad de la mente como el hecho de sujetar nuestra mente a las palabras de Dios memorizándolas. Y así llegamos a ser personas que cumplimos lo que escribe Pablo:

> No hagan nada por contienda o por vanagloria. Al contrario, háganlo con humildad y considerando cada uno a los demás como superiores a sí mismo. No busque cada uno su propio interés, sino cada cual también el de los demás (Fil 2:3-4).

Atesora las palabras de Dios en tu corazón; prepara un arsenal para luchar contra la tentación. Pero no te pierdas hoy el poder transformador de vida que hay en memorizar la mente de Dios.

_____

Cinco consejos para memorizar la Biblia

Algunos sistemas para memorizar las Escrituras implican un compromiso espectacular. Algunos incluyen cajas con versículos memorizados en tarjetas, o largas listas de versículos memorizados anteriormente para volver a practicar. Yo admiro y aprecio a quienes han perseverado en estos sistemas y los han considerado inspiradores y sostenibles a largo plazo. En mi caso, dicho proceso amenazaría con dominar, o incluso devoraría, el limitado tiempo que realmente tengo para mis devociones diarias.

En cambio, he encontrado que la memorización de la Escritura es para mí una herramienta dentro de la meditación, y un importante camino hacia la aplicación de la Biblia. La meditación es el hábito de gracia innegociable que quiero practicar cada día, aunque sea brevemente cuando las circunstancias de la vida han devorado mi tiempo[1]. La memorización de la Escritura no es algo que practique diariamente, al menos no en toda etapa de la vida, sino que intento dedicar varios minutos semanalmente, o un par de veces cada semana, buscando memorizar algún texto poderoso que haya encontrado en mi lectura de la Biblia y quiero no solo meditarlo, sino memorizarlo, para mi propia alma o para aplicar en el ministerio a otros.

En cuanto al ministerio, una vez reuní un listado de «Diez pasajes para que los pastores memoricen bien», que son textos que he encontrado especialmente útiles al ministrar a otros[2]. En cuanto al uso individual, para alimentar tu propia alma, he incluido en las próximas páginas «Diez versículos del evangelio para mantener frescos», junto con «Doce pasajes del evangelio para incorporar».

Antes de ofrecer estos dos breves listados de textos del evangelio, aquí hay cinco sencillos consejos para la memorización de la Escritura.

1. Diversifica los pasajes elegidos

Puedes memorizar libros enteros, o capítulos enteros (Romanos 8 es un gran punto de partida, o Filipenses 3), o secciones clave[3].

---

1 Para profundizar este tema, ver el epílogo sobre comulgar con Cristo en un «día de locos».
2 Está disponible en internet en desiringGod.org, 10 de julio de 2013, http:// www .desiringgod .org /blog /posts /ten-passages -for -pastors -to -memorize -cold.
3 El texto más aclamado que conozco para memorizar libros enteros de la Biblia es Andrew Davis, *An Approach to Extended Memorization of Scripture*, disponible como libro electrónico o como documento en PDF por internet en http:// www .fbcdurham .org /wp -content /uploads /2012 /05 /Scripture -Memory-Booklet -for -Publication -Website -Layout .pdf.

Mi preferencia a lo largo de los años han sido las secciones clave (por ejemplo, cuatro a siete versículos, como Tito 3:1-7) que encuentro al avanzar con un plan de lectura de la Biblia. A menudo es una sección que me parece tan consistentemente rica que meditar en ella solamente por unos pocos minutos parece terriblemente inadecuado. Para disfrutar mejor su virtud, necesito guardar esa sección en mi memoria. (Si estás pensando en comenzar memorizando algunas secciones clave, intenta Col 1:15-20; Jn 1:1-14; Heb 1:1-4; y Fil 2:5-11).

2. Llévalos contigo durante el día

Escribe el pasaje elegido o ponlo en un lugar visible y de fácil acceso en la tableta o el teléfono. No sugeriría limitar tu esfuerzo por memorizar a un cierto momento del día, sino que le des rienda suelta en todo momento de la vida. Reproduce una grabación de audio en el automóvil, lee en un trozo de papel mientras esperas en una fila. Coloca un texto en tu pantalla de inicio para que lo veas cada vez que miras tu teléfono celular.

3. Procura entender, sentir y aplicar el texto mientras memorizas

Resiste el impulso de concebir la simple memorización como el objetivo. Aprender «de memoria» el texto es algo secundario; llevar el texto *al corazón* es lo principal. No memorices de manera mecánica, sino involúcrate con el texto y su significado —no solamente respecto de las implicaciones para tu vida, sino también respecto de los resultados que debería tener en tus emociones.

4. Transforma tu texto en una oración

Los momentos de oración personales y comunitarios son un gran tiempo para ejercitar lo que estás memorizando, y verlo y sentirlo desde un nuevo ángulo cuando lo diriges hacia Dios y compartes su significado con otros. He pasado por momentos en que orar algún texto memorizado ha llegado a ser el camino para ver nuevas glorias que habían estado escondidas hasta ese momento.

5. Memoriza a la luz del evangelio

Finalmente, permite que la verdad de Colosenses 3:16 moldee tu memorización: «La palabra de Cristo habite ricamente en ustedes». La «palabra de Cristo» aquí, o el «mensaje de Cristo», no es primordialmente la Escritura, sino el evangelio. Así que, en otras palabras, memoriza a la luz del evangelio.

> Memorizar la Biblia, como hecho en sí mismo, no es necesariamente algo cristiano. Jesús habló con líderes judíos que habían memorizado más pasajes del Antiguo Testamento de lo que jamás haremos nosotros, y les dijo: «Ustedes escudriñan las Escrituras, porque les parece que en ellas tienen la vida eterna; ¡y son ellas las que dan testimonio de mí! Pero ustedes no quieren venir a mí para que tengan vida» (Jn 5:39–40). Y Pablo habló con judíos que conocían profundamente las Escrituras, pero:

> La mente de ellos se endureció. Hasta el día de hoy, cuando leen el antiguo pacto, llevan puesto el mismo velo, que solamente por medio de Cristo puede ser quitado. Y aun hasta el día de hoy, cuando leen a Moisés, el velo les cubre el corazón; pero ese velo les será quitado cuando se conviertan al Señor (2Co 3:14–16).

Ya sea que estemos memorizando textos del Antiguo Testamento o del Nuevo, esta es nuestra necesidad una y otra vez: *volvernos al Señor*. Al memorizar, ya sea libros enteros, capítulos, pasajes o versículos individuales, siempre debemos recordar las grandes enseñanzas de Jesús en Lucas 24 sobre la interpretación de la Biblia: «Comenzó a explicarles todos los pasajes de las Escrituras que hablaban de él» (Lc 24:27), y «les abrió el entendimiento para que pudieran comprender las Escrituras», y que «era necesario que se cumpliera todo lo que está escrito acerca de mí en la ley de Moisés, en los profetas y en los salmos» (Lc 24:44–45).

Diez versículos del evangelio para mantener frescos

La memorización de la Biblia siempre es tiempo bien invertido. «Toda la Escritura es inspirada por Dios, y útil para enseñar, para redargüir, para corregir, para instruir en justicia» (2Ti 3:16). Y las declaraciones del evangelio en versículos individuales son especialmente útiles.

Cuando memorizas un versículo «resumen del evangelio», y lo mantienes fresco, has atesorado en tu corazón una expresión divinamente inspirada e inerrante, en lenguaje humano, que incluye el punto central de toda la Biblia y de toda la historia. Entonces llevas contigo la espada del Espíritu de la más fuerte aleación. Los resúmenes de una sola oración que condensan el mensaje central de la Biblia fortalecen nuestra columna vertebral espiritual y solidifican nuestra médula, arraigándonos con firmeza en los cimientos del corazón de Dios y la naturaleza del mundo que él creó, y enviándonos con confianza al combate contra la incredulidad, ya sea la nuestra o la de otra persona. Los resúmenes del evangelio son invaluables tanto en la evangelización como en el discipulado.

Por lo tanto, junto con otros esfuerzos por memorizar las Escrituras, elige algunos resúmenes del evangelio que guíen, moldeen y den aroma a toda tu reserva. Por «resúmenes del evangelio» tengo en mente versículos como Juan 3:16 (no envidies la fama de este versículo; si la tiene es por buenas razones), versículos que comunican concisamente que *Jesús salva a los pecadores.*

Aquí hay un listado inicial de diez. Mantén tus ojos atentos a otros pasajes y añádelos mientras avanzas; y no te sorprendas si encuentras muchos en Romanos.

Ni siquiera el Hijo del Hombre vino para ser servido, sino para servir y para dar su vida en rescate por muchos (Mc 10:45).

Dios muestra su amor por nosotros en que, cuando aún éramos pecadores, Cristo murió por nosotros (Ro 5:8).

La paga del pecado es muerte, pero la dádiva de Dios es vida eterna en Cristo Jesús, nuestro Señor (Ro 6:23).

Por tanto, no hay ninguna condenación para los que están unidos a Cristo Jesús (Ro 8:1).

El que no escatimó ni a su propio Hijo, sino que lo entregó por todos nosotros, ¿cómo no nos dará también con él todas las cosas? (Ro 8:32).

Al que no cometió ningún pecado, por nosotros Dios lo hizo pecado, para que en él nosotros fuéramos hechos justicia de Dios (2Co 5:21).

Ustedes ya conocen la gracia de nuestro Señor Jesucristo que, por amor a ustedes, siendo rico se hizo pobre, para que con su pobreza ustedes fueran enriquecidos (2Co 8:9).

Esta palabra es fiel y digna de ser recibida por todos: Cristo Jesús vino al mundo para salvar a los pecadores, de los cuales yo soy el primero (1Ti 1:15).

En esto consiste el amor: no en que nosotros hayamos amado a Dios, sino en que él nos amó a nosotros, y envió a su Hijo en propiciación por nuestros pecados (1Jn 4:10).

Digno eres de tomar el libro y de abrir sus sellos,
   porque fuiste inmolado.
Con tu sangre redimiste para Dios gente de toda
   raza, lengua, pueblo y nación (Ap 5:9).

Doce pasajes del evangelio para incorporar

La verdad por sí sola no sostendrá nuestras almas. Necesitamos desesperadamente el evangelio. «La gracia de Dios en verdad» (Col 1:6, RV60) es el choque eléctrico que da vida a un alma muerta y la carga que la mantiene viva. El evangelio es el combustible que despierta y energiza al corazón humano, no la verdad por sí sola —con todo lo esencial que es la verdad. Dos más dos es cuatro, eso es verdad. Pero esa verdad sencillamente no logra mucho para hacer arrancar e impulsar un alma que languidece.

Es magnífico y bueno aprender varias verdades de la Biblia —y hay muchas verdades esenciales para aprender— pero no debemos pasar por alto o minimizar la principal verdad del evangelio, «la palabra de verdad» (Col 1:5; ver Ef 1:13), el mensaje tan central e importante que el apóstol lo llama no simplemente *una* verdad, sino *la* verdad, a lo largo de las epístolas pastorales (1Ti 2:4; 3:15; 4:3; 6:5; 2Ti 2:18, 25; 3:7, 8; 4:4; Tit 1:1, 14).

Además de los diez versículos que contienen resúmenes del evangelio en las páginas anteriores, aquí hay doce «pasajes del evangelio» cuidadosamente seleccionados que contienen el corazón de las buenas noticias de la Biblia en solo dos o cuatro versículos.

Estas secciones breves están listas para ser memorizadas, y garantizan al menos un tiempo prolongado de reflexión. Edifica tu vida sobre estas secciones y en torno a ellas, y permite que moldeen y sazonen todo lo que haces. Sumérgete en ellas —y absórbelas.

Con todo, él llevará sobre sí nuestros males, y sufrirá nuestros dolores, mientras nosotros creeremos que Dios lo ha azotado, lo ha herido y humillado. Pero él será herido por nuestros pecados; ¡molido por nuestras rebeliones! Sobre él vendrá el castigo de nuestra paz, y por su llaga seremos sanados. Todos perderemos el rumbo, como ovejas, y cada uno tomará su propio camino; pero el Señor descargará sobre él todo el peso de nuestros pecados (Is 53:4-6).

Todos pecaron y están destituidos de la gloria de Dios; pero son justificados gratuitamente por su gracia, mediante la redención que proveyó Cristo Jesús (Ro 3:23–24).

Ahora bien, para el que trabaja, su salario no es un regalo sino algo que tiene merecido; pero al que no trabaja, sino que cree en aquel que justifica al pecador, su fe se le toma en cuenta como justicia (Ro 4:4–5).

En primer lugar, les he enseñado lo mismo que yo recibí: Que, conforme a las Escrituras, Cristo murió por nuestros pecados; que también, conforme a las Escrituras, fue sepultado y resucitó al tercer día. (1Co 15:3–4)

Cristo nos redimió de la maldición de la ley, y por nosotros se hizo maldición (porque está escrito: «Maldito todo el que es colgado en un madero»), para que en Cristo Jesús la bendición de Abrahán alcanzara a los no judíos, a fin de que por la fe recibiéramos la promesa del Espíritu (Gá 3:13–14).

Pero Dios, cuya misericordia es abundante, por el gran amor con que nos amó, nos dio vida junto con Cristo, aun cuando estábamos muertos en nuestros pecados (la gracia de Dios los ha salvado) (Ef 2:4–5).

Siendo en forma de Dios, [Jesús] no estimó el ser igual a Dios como cosa a que aferrarse, sino que se despojó a sí mismo y tomó forma de siervo, y se hizo semejante a los hombres; y estando en la condición de hombre, se humilló a sí mismo y se hizo obediente hasta la muerte, y muerte de cruz (Fil 2:6–8).

Al Padre le agradó que en [Jesús] habitara toda plenitud, y por medio de él reconciliar consigo todas las cosas, tanto las que están en la tierra como las que están en los cielos, haciendo la paz mediante la sangre de su cruz (Col 1:19–20).

Antes, ustedes estaban muertos en sus pecados; aún no se habían despojado de su naturaleza pecaminosa. Pero ahora, Dios les ha dado vida juntamente con él, y les ha perdonado todos sus pecados. Ha anulado el acta de los decretos que había contra nosotros y que nos era adversa; la quitó de en medio y la clavó en la cruz (Col 2:13–14).

Cuando se manifestó la bondad de Dios, nuestro Salvador, y su amor para con los hombres, nos salvó, y no por obras de justicia que nosotros hubiéramos hecho, sino por su misericordia, por el lavamiento de la regeneración y por la renovación en el Espíritu Santo, el cual derramó en nosotros abundantemente por Jesucristo, nuestro Salvador, para que al ser justificados por su gracia viniéramos a ser herederos conforme a la esperanza de la vida eterna (Tit 3:4–7).

Así como los hijos eran de carne y hueso, también él era de carne y hueso, para que por medio de la muerte destruyera al que tenía el dominio sobre la muerte, es decir, al diablo, y de esa manera librara a todos los que, por temor a la muerte, toda su vida habían estado sometidos a esclavitud. Ciertamente él no vino para ayudar a los ángeles, sino a los descendientes de Abrahán. Por eso le era necesario ser semejante a sus hermanos en todo: para que llegara a ser un sumo sacerdote misericordioso y fiel en lo que a Dios se refiere, y expiara los pecados del pueblo (Heb 2:14–17).

Cristo no cometió ningún pecado, ni hubo engaño en su boca. Cuando lo maldecían, no respondía con maldición; cuando sufría, no amenazaba, sino que remitía su causa al que juzga con justicia. Él mismo llevó en su cuerpo nuestros pecados al madero, para que nosotros, muertos ya al pecado, vivamos para la justicia. Por sus heridas fueron ustedes sanados. Porque ustedes eran como ovejas descarriadas, pero ahora se han vuelto al Pastor que cuida de sus vidas (1Pe 2:22–25).

Capítulo 6

Decídete a ser alumno
de por vida

La sabiduría no llega automáticamente con la edad. Existen muchas personas insensatas de edad avanzada. Como declara Eliú en el libro de Job: «En todos nosotros hay un espíritu; el soplo del Todopoderoso nos da entendimiento. No son los años los que dan sabiduría, ni son los ancianos los que actúan con justicia» (Job 32:8–9).

Es cierto que en muchos creyentes maduros se combinan bien las canas y un buen entendimiento. Pero para muchísimos otros, la longevidad solo reafirma la obstinación, la irritabilidad y las maneras negligentes de pensar y de vivir. La experiencia de la vida puede aumentar inevitablemente con la edad, pero sin un patrón de largo plazo de receptividad e intencionalidad, las múltiples experiencias solo causarán más confusión que claridad.

Para los cristianos en particular, son aún mayores las posibilidades de cultivar la curiosidad santa y la actitud de ser un aprendiz de por vida. La enseñanza y el aprendizaje están en el corazón de nuestra fe. Ser un «discípulo» significa literalmente ser un «aprendiz». Nuestro Maestro es el máximo maestro, y la tarea central de sus subalternos en la iglesia local es enseñar (Mt 28:20; 1Ti 3:2; 5:17; Tit 1:9; Heb 13:7). Dios diseñó la iglesia para que sea una comunidad de alumnos de por vida bajo la guía terrenal de líderes que son por naturaleza maestros.

La fe cristiana no es un plan de estudio limitado para dar inicio a la adultez. Nuestra actitud no debería ser primero aprender y luego pasar el resto de nuestra vida utilizando ese depósito original de conocimientos. Más bien, la salud continua en la vida cristiana está inseparablemente vinculada con un aprendizaje continuo.

Aprender hasta el día de Cristo —y más allá

Muchos de nosotros hemos sentido el bálsamo reconfortante de Filipenses 1:6: «El que comenzó en ustedes la buena obra, la perfeccionará... ». Pero la afirmación no termina allí. Sí, tenemos la gran promesa de que su obra será terminada en nosotros, pero luego le sigue una aclaración importante respecto del tiempo: «hasta el día de Jesucristo». El ciclo de aprendizaje no termina hoy ni mañana, sino que mientras Jesús no regrese, nos queda toda una vida por delante.

E incluso en el cielo, y luego en la nueva creación, no deberíamos esperar que nuestro aprendizaje termine. En nuestro Amado, tenemos muchas bendiciones como esta: Dios mostrará «en los tiempos venideros las abundantes riquezas de su gracia y su bondad para con nosotros en Cristo Jesús» (Ef 2:7). No las recibimos todas a la vez, sino que tenemos por siempre nuevas misericordias para recibir, nuevas revelaciones por descubrir, nuevas cosas que aprender sobre nuestro Señor. Se nos ha dado una promesa de crecimiento que no es solo para toda la vida, sino para la eternidad.

Y así, como mínimo, somos aprendices de por vida. Por tanto, ante nosotros permanecen dos preguntas importantes en este breve capítulo: un simple *qué* y un simple *cómo*. Primero, ¿cuál es el marco para nuestro aprendizaje de por vida? ¿Existe alguna guía, o enfoque, o principio regulador para continuar aprendiendo y creciendo? Y segundo, ¿cómo podríamos practicar tal aprendizaje durante toda la vida?

Enfócate en la Palabra

Ciertamente existe algo que usamos desde el comienzo en la vida cristiana, y luego dedicamos el resto de nuestros días a explorar y profundizar: es la «palabra» o el «mensaje» sobre Jesús, la palabra encarnada de Dios. En resumen, el foco de atención y lo central en nuestro aprendizaje de por vida es la persona y la obra de Cristo. Todas las cosas son en él, por él, y para él (Ro 11:36).

Cuando decimos «alumnos», no nos referimos a aprender simples hechos, información y conocimiento cerebral. Nos referimos a todo eso *y más*. No aprendemos meros datos, sino que aprendemos un Rostro. No somos aprendices de meros principios, sino de una Persona. Somos alumnos de por vida en una relación con Jesús en tanto que oímos su voz en su Palabra, le hablamos al oído en la oración, y participamos en comunión con su cuerpo, todo a través del poder de su Espíritu.

Y una de las principales formas de conocer más de su persona es aprendiendo más sobre su obra por nosotros. No estamos solamente «arraigados y cimentados» en el amor de Cristo por nosotros en el Calvario, sino que proseguimos para «comprender, con todos los santos, cuál es la anchura, la longitud, la profundidad y la altura del amor de Cristo; en fin, que [conozcamos] ese amor, que excede a todo conocimiento, para que [seamos] llenos de toda la plenitud de Dios» (Ef 3:17-19).

El corazón del aprendizaje de por vida que es verdaderamente *cristiano* no es simplemente cavar más profundo en el depósito aparentemente interminable de información que existe para aprender sobre el mundo, la humanidad y la historia. Más bien, este aprendizaje implica sumergirse en el torrente infinito del amor de Cristo, y en cómo todo vuelve a esto mismo, a su ilimitada amplitud, longitud, altura y profundidad, y también implica ver todo lo demás a la luz de esto. El centro del aprendizaje cristiano de por vida es este: conocer y disfrutar a Dios mismo en Cristo a través de la palabra del evangelio y la palabra escrita de las Escrituras, al oír, leer, estudiar, meditar y memorizar la Biblia. Y por eso incluimos esta sección sobre el aprendizaje de por vida aquí en la parte 1 sobre oír la voz de Dios.

Cinco principios para el aprendizaje de por vida

Entonces, el *qué* es «la Palabra» —encarnada, hablada y escrita— en el centro, proyectando su influencia sobre todo otro aprendizaje. Pero ahora, ¿*cómo*? La respuesta breve es que el listado de prácticas particulares para el aprendizaje de por vida puede ser tan diverso como la creatividad lo permita. Realiza una lluvia de ideas aquí. Y encuentra nuevas formas de hacerlo. A continuación, incluimos cinco sugerencias generales para avanzar en el proceso de cultivar hábitos para el aprendizaje continuo.

1. Diversifica tus fuentes y tus etapas

Aprende de las conversaciones personales, lee libros, toma clases, observa videos educativos, y (tal vez lo menos valorado) escucha grabaciones de audio. Diversifica tus fuentes de aprendizaje.

- Las conversaciones personales con gente experimentada y culta están en lo más alto del listado, porque puedes dialogar, hacer preguntas y recibir palabras de sabiduría a tu medida, ya que ellos conocen tu situación y tus necesidades.
- Los libros tienen el valor de ser accesibles en todo tiempo y en todo lugar; puedes avanzar a tu ritmo, en tu tiempo y lugar, y leerlos cuando lo necesites.
- Las clases proveen la ventaja de aprender en un contexto con otras personas, beneficiándote de sus preguntas, y forzándote a enfocarte en el material en un tiempo establecido durante un periodo en particular.

- Los videos educativos proveen la flexibilidad de verlos en el tiempo que te resulte más conveniente y el beneficio de los recursos visuales (diagramas, gráficos, lenguaje corporal, expresiones faciales).

- Escuchar grabaciones te da flexibilidad para realizar varias tareas al mismo tiempo (aprender mientras manejas, haces ejercicio o tareas de limpieza) e involucra la mente de una manera diferente que la instrucción de un video ya que dependes de tu imaginación para concebir al profesor y el contexto.

También es bueno considerar cómo variarán las fuentes en las diferentes etapas de la vida. La universidad y el seminario son etapas concentradas de instrucción en un aula, diálogo educativo, y lectura extendida. Si tienes diariamente un largo viaje al trabajo, o el tipo de trabajo manual que te lo permite, puedes aprovechar los libros, clases, lecciones y sermones que se graban en audio. Evalúa las características particulares de tu etapa de la vida y elige el recurso y los lugares más conducentes a tu aprendizaje continuo sobre Dios, sobre el mundo y sobre ti mismo.

2. Crea tu espacio y redime el tiempo libre

Si tienes un trabajo a tiempo completo y una familia joven, puede resultarte difícil tomar tiempo para tu tarea y el compromiso semanal de asistir a una clase por la noche o tomar un curso por internet. Pero lo que puedes hacer, en esta etapa ajustada o en cualquier otra etapa, es crear pequeños espacios para el aprendizaje.

Pueden ser solo cinco o diez minutos de lectura al acostarte por la noche, o algunos minutos adicionales para detenerte en las Escrituras por la mañana, o escuchar un breve podcast como *Ask Pastor John* mientras te cepillas los dientes, viajas al trabajo o haces mandados[1]. O tal vez puedes ponerte como objetivo leer uno o dos artículos cada día por internet en un sitio sustancioso como Coalición por el Evangelio.[2] O intenta contentarte con mantener un marcador en un libro impreso o en algún dispositivo electrónico mientras avanzas en un buen libro dedicando unos pocos minutos cada día.

3. Utiliza tus momentos de ocio

Hay un lugar para el descanso y la recreación mental, para los deportes, la televisión, la música pop y las películas, pero un alumno de por vida querrá tener en cuenta que la mayoría de los momentos de ocio no son bien aprovechados con un simple entretenimiento sin motivo. Hay una manera de mirar deportes y televisión para la gloria de Dios, y con la intención de aprender. Mirar las noticias es una de las formas. El canal *History* o buenos documentales son otras opciones.

El aprendizaje de por vida, al pasar el tiempo, implicará desarrollar la resistencia a volvernos holgazanes cuando sentimos el impulso, y en cambio, hacer que esos momentos, o muchos otros, se vuelvan oportunidades para crecer. Puede parecer que no se logra mucho un día u otro, pero la recompensa a largo plazo es enorme.

4. Adáptate a los nuevos medios

Anteriormente, una gran biblioteca personal, con páginas escritas a mano y deshilachadas, era la marca de un alumno de por vida. Luego los estantes de libros eran acompañados por recortes de periódicos y revistas, más tarde con pilas de cintas de ocho pistas, luego con depósitos de casetes, y después con pilas de discos compactos. Hoy puede guardarse una auténtica librería en un

---

1 http:// www .desiringgod .org /AskPastorJohn/.
2 http:// www.coalicionporelevangelio.org.

dispositivo de lectura electrónica o una computadora portátil, y los MP3 que anteriormente se guardaban en discos duros están disponibles en internet a través de conexiones de wi-fi.

La transmisión de *podcasts* se ha vuelto un canal favorito para los curiosos sin límite, y en el futuro la tecnología será nueva e incluso mejor. Ya en la actualidad hay clases educativas gratuitas en video y por internet que son accesibles como nunca antes. Y también están las redes sociales; y se puede inferir mucho sobre cuán dispuesto estás a matar el tiempo navegando por las redes sociales, o a darle vida con cosas para aprender, observando qué maestros, conductores de TV, atletas o amigos permites que se acumulen en tu muro.

5. ADOPTA LA IDENTIDAD DE ALUMNO

Finalmente, dada la importancia de la enseñanza regular y el aprendizaje de por vida en un cristianismo saludable, comienza a considerarte a ti mismo como un alumno. Declaralo como tu sexta fortaleza. Batalla contra la tendencia a concebir el aprendizaje como algo reservado para los días de escuela y como algo esencial para la niñez y la adolescencia, pero que no llega a la vida adulta. Resiste el impulso de derrochar el tiempo libre en entretenimientos de distracción sin límite. Acepta que eres finito y que Dios es gloriosamente infinito, y prepárate para nunca dejar de aprender, no como una carga, sino con gran gozo. Aprópiate de la verdad de que en algún sentido nosotros como criaturas nunca «llegamos», ni siquiera en la nueva creación.

Decídete a ser un alumno de por vida.

Parte 2

HÁBLALE AL OÍDO

Oración

Capítulo 7

Disfruta el regalo de tener la atención de Dios

Él es «el Dios de toda gracia» (1Pe 5:10). No solo nos escogió desde antes de la fundación del mundo, dio a su Hijo para salvarnos, y permitió nuestro nuevo nacimiento, sino que además sostiene la totalidad de nuestra vida cristiana, desde el primer día y hasta que llegue el último día, en su gracia inigualable. Él cubre nuestra vida con su bondad inesperada a través de personas y circunstancias, en buenas y malas etapas, y derrama sobre nosotros favores imprevistos en la salud y en la enfermedad, en la vida y en la muerte.

Pero como hemos visto, no siempre nos encuentra de sorpresa, ni siquiera es así a menudo. Dios tiene sus canales habituales —los medios de gracia—, esos caminos muy transitados por los cuales tan a menudo se complace en pasar y derramar su bondad sobre aquellos que están esperando con expectación. Las principales carreteras son su Palabra, su iglesia y la oración. O su voz, su cuerpo y su oído. Ahora cambiamos nuestro enfoque de su voz hacia su oído.

Pero debemos entender el hecho de que él oye nuestra oración en relación con el hecho de que nosotros lo escuchamos en su Palabra.

El Dios que habla y escucha

Primero suena su voz. Por su Palabra, Dios se revela a sí mismo y da a conocer su corazón, y manifiesta a su Hijo como la culminación de su revelación. Por su Palabra, él crea (Gn 1:3) y recrea (2Co 4:4), no solo miembros individuales, sino un cuerpo llamado la iglesia (que es el medio de gracia que trataremos en la tercera parte).

Y la mayor maravilla es que no solo se revela a sí mismo y nos llama a oír su voz, sino que también nos quiere oír a nosotros. El Dios que habla no solo ha hablado, sino que también oye —se detiene, se inclina, quiere oír cuando le hablas. Él está preparado para oír tu voz.

Cristiano, tienes acceso al oído de Dios. A eso le llamamos oración.

Una conversación que no iniciamos nosotros

En pocas palabras, la oración es hablarle a Dios. Es algo irreductiblemente relacional. Es personal: él es la Persona Absoluta, y nosotros somos personas por derivación, moldeados a su imagen. En un sentido, la oración es algo tan básico como la relación mutua entre personas, conversando, interactuando, pero con una aclaración importante: en esta relación, no charlamos como pares. Él es Creador y nosotros somos criaturas. Él es el gran Señor, y nosotros somos sus alegres servidores. Pero por su maravilloso amor y su extraordinaria gracia, nos invita a interactuar. Él ha abierto su boca y nos ha hablado. Ahora abre su oído para oírnos.

La oración para el cristiano no es simplemente hablarle

a Dios, sino responder a aquel que se nos ha acercado. Él ha hablado primero. Esta no es una conversación que nosotros iniciamos, sino una relación en la cual fuimos incluidos. Su voz rompe el silencio. Así, en la oración, le hablamos al Dios que nos ha hablado. Nuestras acciones de pedir, clamar, y suplicar no se originan en nuestro vacío, sino en su plenitud. La oración no comienza con nuestras necesidades, sino con su abundancia. Su origen es primeramente la adoración, y solo más tarde llega la súplica. La oración es el reflejo de la gracia que él da al pecador al salvarlo. Es solicitar su provisión en vista del poder que ha mostrado.

La oración es la respuesta gozosa de la novia, en una relación sumisa con su novio, respondiendo a sus iniciativas sacrificiales y vivificantes. Y así es una gracia impresionante la que encontramos en una declaración tan simple del salmista, que se aplica a todo cristiano: «El Señor ha aceptado mis oraciones» (Sal 6:9).

El gran propósito de la oración

Por tanto, no debería sorprendernos que la oración no se trate en última instancia de obtener cosas de Dios, sino de obtener a Dios mismo. Nacida en respuesta a su voz, la oración presenta sus súplicas a Dios, pero no se contenta con solo recibir de Dios. La oración debe tenerlo a él. John Piper escribe:

> No está mal querer las dádivas de Dios y pedirlas. La mayoría de las oraciones en la Biblia piden dádivas de Dios. Pero en última instancia toda dádiva debe ser deseada porque nos muestra y nos trae más de él… Cuando este mundo fracasa completamente, el fundamento para el gozo permanece en pie. Dios. Por tanto, ciertamente son secundarias las oraciones por la vida, la salud, el hogar, la familia, el trabajo y el ministerio en este mundo. Y el gran propósito de la oración

es pedir que —en y a través de todas sus dádivas— Dios sea nuestro gozo[1].

O, como dijo C. S. Lewis de manera tan memorable: «La oración en el sentido de la súplica, de pedir cosas, es una parte muy pequeña; la confesión y el arrepentimiento son su entrada, la adoración es su santuario; la presencia, la contemplación y el disfrute de Dios son el pan y el vino»[2]. El gran propósito de la oración es acercarnos humildemente, expectantes, y —por causa de Jesús— confiadamente a la presencia consciente de Dios, para relacionarnos con él, hablar con él, y en última instancia disfrutar de él como nuestro mayor tesoro.

Las prácticas de la oración en perspectiva

En consecuencia, la oración —tener la atención de Dios—, en definitiva, se trata de tener más de Dios. Y tener acceso al oído de Dios (al igual que oír su voz) no se trata primordialmente de nuestras prácticas y posturas particulares —los hábitos específicos que desarrollamos- sino del principio de relacionarnos continuamente con él, en privado y con otros. Él es santo, y por eso lo alabamos (adoración). Él es compasivo, y por eso nos arrepentimos (confesión). Él es misericordioso, y por eso le expresamos nuestro reconocimiento (agradecimiento). Él es amable y bondadoso, y por eso le presentamos peticiones por nosotros mismos, por nuestra familia, por nuestros amigos y por nuestro mundo (súplica)[3*].

Como la oración forma parte integral de una relación continua con Dios, el libro de los Hechos no acentúa los momentos y lugares particulares de la oración en la iglesia primitiva, sino que

---

1 *When I Don't Desire God: How to Fight for Joy* (Wheaton, IL: Crossway, 2004), 142–43.
2 *The World's Last Night and Other Essays* (Nueva York: Mariner Books, 2002), 8.
3* Nota del traductor: las iniciales de cada una de estas palabras en inglés forman un acróstico («ACTS», actos) que es usado como regla nemotécnica para los distintos tipos de oración que hacen que nuestro acercamiento a Dios sea saludable e integral.

nos dice: «Todos ellos oraban y rogaban a Dios continuamente» (Hch 1:14). Y Pablo no exhorta a la iglesia a tener hábitos prescritos específicos, sino que les escribe: «Sean constantes en la oración» (Ro 12:12), «dedíquense a la oración» (Col 4:2), «oren sin cesar» (1Ts 5:17), «oren en todo tiempo con toda oración y súplica en el Espíritu» (Ef 6:18). La oración es primordialmente una orientación para la vida, en vez de ser prácticas y patrones particulares que pueden caracterizar a una cierta comunidad o una cierta etapa de la vida, o etapa de la historia de la iglesia.

Ese llamado generalizado a la oración como se ve en el Nuevo Testamento no es cuestión de un logro impersonal y pura disciplina, sino de una relación íntima. Debajo de la oración no hay una voluntad humana de hierro, sino un Padre divino extraordinariamente atento que está deseoso de dar «buenas cosas a los que le pidan» (Mt 7:11). No es solamente un Padre que revela su abundancia en palabras, y «sabe de lo que ustedes tienen necesidad, antes de que ustedes le pidan» (Mt 6:8), sino que quiere que le pidamos. Quiere oírnos. Quiere interactuar. No quiere tenernos en una relación hipotética, sino real. Él está incluso más dispuesto a oírnos de lo que nosotros estamos dispuestos a orar.

Oramos en el nombre de Jesús

Todo esto es posible solamente a través de la persona y la obra del Hijo de Dios. Jesús no solo murió por nuestros pecados (1Co 15:3), para mostrar el amor de Dios por nosotros (Ro 5:8), sino que se levantó de la tumba y ascendió al cielo como «nuestro precursor» (Heb 6:20), presentándose ante el mismísimo Padre (Heb 9:24). Jesús está «a la derecha de Dios e intercede por nosotros» (Ro 8:34). Habiendo conquistado a la muerte, el Dios-hombre, en su cuerpo glorificado, «puede salvar para siempre a los que por medio de él se acercan a Dios, ya que vive siempre para interceder por ellos» (Heb 7:25). Que tenemos la atención de Dios es tan cierto como que tenemos al Hijo de Dios.

Así que, a la luz de esto, en los próximos capítulos haremos que las intenciones generales se vuelvan caminos más específicos, y luego llegaremos a planes aún más específicos para nuestras comunidades particulares y nuestra vida individual. Desarrollamos hábitos de vida —hábitos de gracia. Encontramos un momento y un lugar habitual. Oramos en privado y con otros. Oramos «en el aposento» y a lo largo del día. La oración es programada y espontánea. Se da en el auto, en la mesa, entre reuniones, y al costado de la cama. Oramos usando las Escrituras, en respuesta directa a la Palabra de Dios. Adoramos, confesamos, agradecemos y suplicamos. Aprendemos a orar orando, y orando con otras personas, y descubrimos que «orar habitualmente con otras personas puede ser una de las aventuras más enriquecedoras de tu vida cristiana»[4]. Exploraremos todo esto y más en las próximas páginas.

Tenemos acceso al oído de Dios. Saquémosle el mayor provecho posible.

---

4 Donald S. Whitney, *Spiritual Disciplines for the Christian Life*, rev. ed. (Colorado Springs: NavPress, 2014), 93.

Capítulo 8

Ora en lo secreto

═══

Ahora es el momento de dar una nueva mirada tu vida privada de oración. Tal vez encuentres algunos pequeños ajustes que podrías probar en los próximos días. Por lo general la mejor manera de crecer y lograr avances no es mediante un cambio radical, sino identificando uno o dos cambios pequeños que pueden resultar beneficiosos con el paso del tiempo.

O tal vez no tengas casi nada de vida privada de oración (lo cual posiblemente sea tan común hoy entre los cristianos como siempre ha sido), y realmente necesitas comenzar de cero. Es posible que sientas de primera mano la carga de la advertencia de Francis Chan: «Mi mayor preocupación por esta generación es su incapacidad de concentrarse, especialmente en la oración»[5]. Tal vez esto sea cierto en tu vida, y estés listo para cambiar.

Ya sea que necesites una pequeña autoevaluación o aprender como un principiante, me gustaría ofrecer algunos indicios prácticos sobre la oración privada. Pero comencemos evaluando

---

5 Mensaje entregado en la conferencia Passion 2015 en Atlanta, 3 de enero de 2015.

en primer lugar por qué es tan importante la oración privada, o la «oración en el aposento».

Orando «en el aposento»

«La oración en el aposento» es un nombre que se toma del famoso Sermón del Monte de Jesús en Mateo 5-8. El contexto es la instrucción de Jesús de no «hacer sus obras de justicia sólo para que la gente los vea» (Mt 6:1).

> Cuando ores, no seas como los hipócritas, porque a ellos les encanta orar en pie en las sinagogas y en las esquinas de las calles, para que la gente los vea; de cierto les digo que con eso ya se han ganado su recompensa. Pero tú, cuando ores, entra en tu aposento, y con la puerta cerrada ora a tu Padre que está en secreto, y tu Padre que ve en lo secreto te recompensará en público (Mt 6:5–6).

Así como orar para los oídos de otras personas tenía su recompensa inmanente en el judaísmo del siglo I, lo mismo ocurre en nuestras comunidades eclesiales del siglo XXI, ya sea en la iglesia, en grupos pequeños, o en una comida con amigos y familiares. Puede ser fácil desviarse hacia el intento de impresionar a otros como la motivación que impulsa nuestra oración cuando estamos con otras personas, ya sea por su duración, tono, temática, ánimo o elección de palabras, todo esto escogido cuidadosamente para producir ciertos efectos solamente en nuestros oyentes humanos.

Es un camino difícil de recorrer, porque debemos orar con otras personas —en la iglesia, en nuestros hogares o en cualquier lugar— y la oración pública *debería* tomar en cuenta que hay otras personas escuchando; *debería* tener en mente a las otras personas. Pero el peligro yace en dejar a Dios de lado y cambiar nuestro enfoque hacia el intento de impresionar a otros.

Pero «la oración del aposento» ofrece una prueba de autenticidad para nuestra oración pública. Como comenta Tim Keller sobre Mateo 6:5-6:

> Jesús dice que la prueba infalible de integridad espiritual es tu vida privada de oración. Muchas personas oran cuando se lo exigen las expectativas culturales o sociales, o tal vez por la preocupación causada por circunstancias problemáticas. Sin embargo, quienes tienen una relación genuina con Dios como Padre en su interior *querrán* orar y por tanto orarán incluso aunque no haya nada en el exterior que los empuje a hacerlo. Buscan orar incluso durante tiempos de sequedad espiritual, cuando no existe recompensa social o experiencial[1].

La oración privada es una prueba importante de nuestra autenticidad. ¿Es Dios nuestro verdadero tesoro, o simplemente estamos usando la oración para parecer piadosos e impresionar a otros? ¿Tus oraciones están realmente dirigidas a un Dios que nos oye y quiere hacernos bien, o la oración es una herramienta para conseguir lo que queremos de otros? La oración privada atraviesa la niebla y la confusión, y ayuda a mostrar que nuestra relación con Dios es auténtica.

Remedio para las deficiencias

Pero la oración privada no es solamente una prueba de nuestra autenticidad, sino también un remedio continuo para nuestras deficiencias y la falta de deseo por Dios que a menudo sentimos. Como dice John Piper, la oración «no es solamente la medida de nuestro corazón, revelando lo que en verdad deseamos, sino también el remedio indispensable para nuestro corazón cuando no deseamos a Dios de la forma que deberíamos desearlo»[2].

La oración privada muestra quiénes somos en realidad en nuestra

---

1 *Prayer: Experiencing Awe and Intimacy with God* (Nueva York: Dutton, 2014), 23.
2 *When I Don't Desire God: How to Fight for Joy* (Wheaton, IL: Crossway, 2004), 153.

espiritualidad y es esencial para sanar los muchos lugares donde nos encontramos quebrantados, necesitados, carentes y rebeldes.

Contexto para una relación

Además, como señala Keller, la oración es esencial para «una relación genuina con Dios como Padre»[3]. Este es el corazón de la oración: no necesariamente conseguir cosas de Dios, sino conseguir a Dios. La oración es donde le hablamos a Dios en respuesta a la palabra que él nos ha dirigido, y experimentamos lo que significa disfrutarlo como un fin en sí mismo, no solo como un medio para obtener nuestras peticiones. En la oración, disfrutamos el regalo de tener acceso al oído de Dios (capítulo 7) y descubrimos personalmente que no somos solo siervos, sino amigos (Jn 15:15). No somos solo oidores de su Palabra, sino sus propios hijos que tienen su corazón (Ro 8:15-16; Gá 4:6-7). Él quiere oírnos. Ese es el poder y el privilegio de la oración.

Aquí es donde vemos por qué Jesús llevó a la práctica tan bien lo que predicaba sobre la oración y sobre encontrar un «aposento». Él no tenía deficiencias que compensar, y no hay dudas sobre su autenticidad, pero deseaba desesperadamente tener comunión con su Padre. Por eso, una y otra vez, él oraba a solas. «Luego de despedir a la gente, subió al monte a orar aparte... Jesús estaba allí solo» (Mt 14:23; también Mc 6:46). No solo una vez, sino como un hábito regular, «Jesús se retiraba a lugares apartados para orar» (Lc 5:16). «Muy de mañana, cuando todavía estaba muy oscuro, Jesús se levantó y se fue a un lugar apartado para orar» (Mc 1:35).

Antes de seleccionar a sus doce discípulos, «Jesús fue al monte a orar, y pasó la noche orando a Dios» (Lc 6:12). Aun en Getsemaní, tres veces se alejó y oró (Mt 26:36, 42, 44; también Mc 14:32–42). Desde el comienzo de su ministerio hasta la noche

---

3 Keller, *Prayer*, 23.

de su crucifixión, hizo de la práctica de la oración privada una parte esencial de su relación con el Padre.

Por eso es difícil exagerar el rol de la oración privada. En muchos sentidos, es la medida de quiénes somos en nuestra espiritualidad. J. I. Packer dice que la forma en que oramos «es la pregunta más importante que podamos enfrentar»[4].

Cinco sugerencias para la oración privada

Está claro que la oración privada es importante, e incluso esencial, para el cristiano. Pero la forma de orar en privado es gloriosamente flexible según nuestras diversas experiencias, rutinas y patrones, en las diferentes etapas de la vida. Al evaluar (o comenzar) tus propios patrones y hábitos, aquí hay cinco sugerencias para enriquecer la oración privada.

1. Crea tu aposento

Encuentra tu lugar habitual para la oración privada, y si no puedes encontrar un lugar ya disponible, crea uno. Puede ser simplemente un escritorio despejado, o algún lugar donde puedas arrodillarte. Muchos de nosotros hemos descubierto que ubicarnos al costado de la cama es más provechoso que acostarnos sobre la cama. Tal vez puedas encontrar un guardarropa, o un rincón debajo de las escaleras, con suficiente espacio para sentarse o arrodillarse, y suficiente luz para leer o incluso tomar notas. Tener tu lugar designado te ayudará a ser constante en la oración privada.

2. Comienza con la Biblia

Como la oración es una conversación que no comenzamos nosotros, sino una respuesta a la iniciativa de Dios y su acción de

---

4 *My Path of Prayer: Personal Glimpses of the Glory and the Majesty of God Revealed through Experiences of Prayer*, ed. David Hanes (West Sussex, UK: Henry Walter, 1981), 56.

hablarnos en su Palabra, muchos de nosotros hemos aprendido, con George Mueller, a comenzar con las Escrituras. Mueller dice que durante diez años comenzó cada día con un intento inmediato de oración ferviente y extendida, solo para aprender con el tiempo cuánto más edificantes y precisas eran sus oraciones cuando se daban en respuesta a la Palabra de Dios.

Desde ese momento, Mueller comenzaba con una breve oración pidiendo la ayuda de Dios al leer, luego iba primeramente a la Biblia y abría sus oídos para Dios en su Palabra meditando en las Escrituras, y luego avanzaba, mediante la disciplina de la meditación (capítulo 3), hacia la etapa de la oración privada de cada día[5].

3. Adora, confiesa, agradece y pide

Luego de leer y meditar en la Biblia, y antes de abrir las puertas para la «oración libre» —mencionando lo que esté en nuestro corazón— puede ser útil tener algún modelo a mano. William Law recomienda que las devociones matutinas «tengan algo prefijado y algo de libertad»[6]. Lo mismo ocurre con la oración privada.

Martín Lutero recomendaba orar con el Padrenuestro como modelo con nuevas palabras cada día. Un modelo comprobado en el tiempo es el que incluye una secuencia de: adoración, confesión, agradecimiento y súplica. Primero, *adora* a Dios con alabanza por la verdad revelada al leer y meditar en las Escrituras, luego *confiesa* tus propios pecados, faltas y debilidades, luego *agradece* por su gracia y misericordia, y finalmente *suplica* —ruégale, pídele— por ti mismo, tu familia, tu iglesia y otros temas.

---

5 *A Narrative of Some of the Lord's Dealings with George Mueller, Written by Himself, Jehovah Magnified. Addresses by George Mueller Complete and Unabridged*, 2 vols. (Muskegon, MI: Dust and Ashes, 2003), 1:272–73. Para ver un nuevo libro excelente sobre este tema, ver Donald S. Whitney, *Praying the Bible* (Wheaton, IL: Crossway, 2015).
6 Law, *A Serious Call to a Devout and Holy Life* (Grand Rapids, MI: Eerdmans, 1966), 154.

4. Revela tus deseos —y transfórmalos

Primero, algo prefijado; ahora, algo de libertad. Esto es la «oración libre», donde oramos con nuestro corazón, y presentamos las cargas y preocupaciones que tenemos ese día y en esa etapa de la vida. En la oración privada, somos lo más honestos con Dios y con nosotros mismos. Expresa tu corazón a tu Padre. Él ya lo conoce, y quiere oírte. Este es un privilegio indecible.

Pero la oración a Dios no es solamente el lugar para revelar nuestro corazón, sino para transformar nuestros deseos. Aquí hay poder. La oración cambia nuestro corazón como ninguna otra cosa, tal vez especialmente cuando seguimos las oraciones de la Biblia, en los salmos y en los escritos del apóstol (como en Ef 1:17–21; 3:16–19; Fil 1:9–11; Col 1:9–12), como guías para moldear y expresar nuestros deseos a Dios.

5. Mantén tu oración renovada

Renuévala para un nuevo año, o un nuevo mes, o una nueva etapa de la vida. Con regularidad, o solo oasionalmente, escribe tus oraciones con concentración y cuidado (esta es una faceta valiosa de la disciplina de escribir un diario, como veremos en el capítulo 11), o refuerza tus afectos en la oración con un ayuno (capítulo 10), o toma un descanso del caos de la vida con algún retiro especial de silencio y soledad (capítulo 12).

Pocas cosas merecen tu atención y dedicación como el privilegio y el poder de la oración privada.

———

Los hábitos de la oración privada constante cambiarán en las diversas etapas de la vida. Ha habido etapas en las que he usado listados con temas para orar diariamente, o asuntos para orar a lo largo de la semana. He mantenido notas detalladas sobre los temas por los cuales oraba en días específicos, e intentaba regresar para anotar oraciones contestadas o deseos transformados. Otra práctica útil ha sido escribir o tipear oraciones a diario (veremos más sobre la escritura de un diario en el capítulo 11). En los últimos años, me ha parecido más útil orar brevemente al comenzar mi tiempo devocional, algo así: «Padre, bendice la lectura de tus palabras a mi corazón esta mañana», intentando mantenerla renovada cada día. Luego de leer, y mejor aún, habiendo meditado sobre alguna sección de la lectura, intento avanzar a la oración basado en lo que he estado meditando, usando el riguroso patrón de: adoración, confesión, agradecimiento, súplica.

Generalmente comienzo con alabanza o «adoración», expresando palabras de adoración a Dios por quien él es, lo que ha hecho por mí, y lo que ha prometido hacer a la luz del texto en el cual he meditado. Espero permanecer ahí, al menos durante varias locuciones, cultivando un corazón de adoración mientras me esfuerzo por poner en palabras la gloria que he vislumbrado en su Palabra.

Luego viene la confesión. Todavía con mis momentos de meditación en mente, confieso mis pecados, deficiencias y fracasos, en general y en particular, dependiendo de la verdad que he meditado.

Después, procuro cultivar la gratitud hacia Dios al expresar palabras de agradecimiento por su gracia y misericordia; que a pesar de su grandeza y mi pequeñez, su santidad y mi pecado, él me ha rescatado y me ha hecho suyo en Jesús.

Finalmente, llego a la súplica, con pedidos específicos por mí mismo y por mis seres queridos, primero fluyendo desde la verdad que reflexioné durante la meditación y luego permitiendo ampliar la oración hacia lo que viene a mi mente y la agenda de ese día. En el presente, mis momentos de oración han estado casi exclusivamente orientados hacia la meditación, y guiados por lo que tengo en mi mente y mi corazón ese día, en vez de ser guiados por un listado[7].

La oración privada puede ser un tiempo intensamente personal entre tú y Dios. Así debería ser. Al llevar a cabo la práctica habitual de oír la voz de Dios, y responderle en oración, desarrollarás tus propios hábitos de gracia para disfrutar de Dios en oración.

---

[7] No menosprecio el hecho de mantener un listado de oración, pero te advertiría que evites los peligros bosquejados por Timothy Keller, citando a J. I. Packer. *Prayer: Experiencing Awe and Intimacy with God* (Nueva York: Dutton, 2014), 229–30.

Capítulo 9

Ora con constancia
y en comunidad

Como hemos visto, la oración está en el corazón de la vida cristiana. No es solamente por obediencia al mandamiento de Dios, sino un medio vital para que recibamos su continua gracia para nuestra supervivencia y crecimiento espiritual. Y el gozo de la oración —la comunión con Dios— es esencial para lo que significa ser cristiano. Sin la oración, no hay verdadera relación con él, ni un profundo deleite en quien él es, sino solo atisbos a la distancia.

Como enseña Jesús, la oración privada (o «la oración del aposento») desempeña un rol importante en la vida del creyente. Desarrollamos nuestros diversos patrones y prácticas de oración privada en los hábitos de nuestra vida particular. Encontramos nuestro lugar y nuestro tiempo para entrar al aposento, y con la puerta cerrada orar «a nuestro Padre que está en secreto» (Mt 6:6). Amén a la oración privada (Capítulo 8). Eso es crucial. Pero todavía hay más.

Incorporar la oración a la agenda del día

La oración comienza en secreto, pero Dios no quiere que se quede ahí en el aposento. La oración es para todas las áreas de la vida, y especialmente para nuestra vida en comunidad. Cuando seguimos la guía de las Escrituras, no practicamos solamente la oración privada, sino que incorporamos su espíritu de dependencia y confianza al resto del día, y a los tiempos de oración en conjunto con otros creyentes.

Probablemente sepas los versículos que nos llevan a susurrar oraciones luego de habernos ido del aposento. «Ora sin cesar» (1Ts 5:17); «seamos constantes en la oración» (Ro 12:12); «dedíquense a la oración» (Col 4:2); «ora en todo tiempo» (Ef 6:18). Jesús dijo que tenemos «necesidad de orar siempre y de no desanimarse» (Lc 18:1). Estos textos nos exhortan a no quedarnos todo el día en el aposento, sino llevar una actitud de oración en el alma al entregarnos totalmente a nuestras tareas y compromisos cotidianos. Y que, en algún momento, estemos preparados para dirigirnos de manera consciente hacia Dios ya sea en el auto, esperando en una fila, caminando, antes de una comida, en medio de una conversación complicada, o en cualquier otro momento.

Tim Keller escribe: «En todo lugar donde está Dios, está la oración. Como Dios está en todo lugar y es infinitamente grande, la oración debe invadir toda nuestra vida»[1].

El punto culminante: la oración en conjunto

El punto culminante de la oración que permea toda la vida, fuera de la puerta del aposento, es orar en conjunto con otros cristianos. Organizar una oración con otros requiere más energía que una oración susurrada en el trajín del día. Requiere planificación, iniciativa y la coordinación de agendas de una

---

1 *Prayer: Experiencing Awe and Intimacy with God* (Nueva York: Dutton, 2014), 28.

manera que la oración privada no necesita. Pero cada gota de esfuerzo vale la pena.

Y así tenemos al menos dos aspectos de una vida saludable de oración. Oramos individualmente, en secreto y en movimiento, y oramos comunitariamente, resistiendo la privatización de nuestras oraciones, no solo pidiendo a otros que oren por nosotros sino especialmente que oren *con* nosotros.

Cristo y su búsqueda de compañía

Si algún ser humano podría haber estado bien sin compañía regular en la oración, ese habría sido Jesús. Pero una y otra vez observamos una vida de oración que no era solamente individual sino comunitaria. «Subió al monte a orar, y se llevó con él a Pedro, Juan y Jacobo» (Lc 9:28), y respondió alegremente al pedido de ellos, «Señor, enséñanos a orar» (Lc 11:1), con una oración comunitaria dirigida al «Padre *nuestro*», que se caracteriza por el reiterado uso de las palabras «nosotros» y «nuestro».

El texto clásico en el que Jesús permite que otras personas invadan su espacio de oración es Lucas 9:18: «Aconteció que mientras Jesús oraba aparte, estaban con él los discípulos» (RV60). Pocas veces Jesús se alejaba de sus hombres (y solamente para orar como en Mt 14:23; Mc 1:35; Lc 5:16), y sin duda uno de sus hábitos regulares junto con otras personas era la oración. Mantener esa comunión en la oración debe haber forjado «el valor de Pedro y de Juan», que eran gente «sin mucha preparación», y sin embargo se reconocía «que habían estado con Jesús» (Hch 4:13).

La oración comunitaria de Jesús con sus discípulos guio a la oración comunitaria en la iglesia primitiva que ellos lideraban. Esto está explícito en casi todas las páginas del libro de los Hechos.

- «Todos ellos oraban y rogaban a Dios continuamente» (1:14; también 2:42).

- «Todos juntos elevaron sus voces a Dios» (4:24), y la llenura del Espíritu ocurrió luego de que oraron juntos (v. 31).
- La iglesia escogió a los siete, y «oraron por ellos y les impusieron las manos» (6:6).
- Mientras Pedro estaba en prisión, «en la iglesia se oraba constantemente a Dios por él» (12:5), y cuando escapó milagrosamente, encontró que «muchos hermanos se habían reunido allí para orar» (v. 12).
- Fue «después de que todos ayunaron y oraron» que la iglesia en Antioquía envió a Pablo y Bernabé a su primer viaje misionero (13:3), y «nombraron ancianos en cada iglesia, y luego de orar y ayunar los encomendaron al Señor» (14:23).
- Incluso en la cárcel, «Pablo y Silas oraban y cantaban himnos a Dios» (16:25).
- Y en una despedida emotiva de los ancianos de Éfeso, «Pablo se puso de rodillas y oró con ellos» (20:36; también 21:5).

Cinco consejos para la oración en comunidad

Nuestra necesidad de la ayuda de Dios en la actualidad no es menor que la necesidad de la iglesia primitiva, y la oración *en conjunto* permanece como un medio vital de la gracia continua de Dios en la vida cristiana y en nuestras comunidades.

Queda claro que la iglesia primitiva oraba en comunidad; los detalles de cómo lo hacían no están tan claros. Esto es significativo. No existe un patrón para la oración comunitaria, ya sea en grupos de dos, de diez, de cien o de mil personas. Las prácticas de la oración en conjunto varían en cada familia, cada iglesia, y cada comunidad según el contexto, el liderazgo y la historia compartida. Los líderes sabios observan los hábitos y prácticas que ya están funcionando en el grupo, cuáles son útiles y podrían ser alentados, y cuáles podrían resultar de poca utilidad a largo plazo y podrían ser reemplazados.

Aquí hay cinco lecciones que he aprendido liderando grupos

pequeños de oración en los últimos años. Tal vez uno o dos de ellos sean buenos para una familia, un grupo comunitario, o una iglesia donde eres líder o miembro.

1. MANTÉN LA REGULARIDAD

Haz que la oración en comunidad sea algo regular como parte de tu rutina semanal o quincenal. En vez de hacerlo de manera aleatoria, planifica un tiempo y lugar para reunirte con otros creyentes para orar. Respecto a la cantidad de semanas o meses, toma un compromiso por un periodo limitado, en vez de un tipo de plan por los siglos de los siglos. Cuando se llega al final del tiempo estipulado, se puede renovar o reconsiderar. Los compromisos de oración regular sin un día de finalización tienden a decaer con el paso del tiempo, y luego terminan desalentando futuros compromisos.

2. COMIENZA CON LA ESCRITURA

La oración cristiana más genuina llega en respuesta a la auto-revelación de Dios a nosotros. Como escribió George Herbert: la oración es «el aliento de Dios en el hombre regresando a su origen»[2]. Por tanto, es adecuado comenzar encuentros de oración comunitaria con algún apoyo en las propias palabras de Dios hacia nosotros, leyendo un pasaje o haciendo referencia a algún lugar de la Escritura como una especie de «llamado a la oración». Inhalamos las Escrituras y exhalamos la oración.

3. LIMITA EL TIEMPO DE COMPARTIR

Puede ocurrir fácilmente que el tiempo de compartir las peticiones no deje nada de tiempo para la verdadera oración en conjunto. Mantén las introducciones breves, lee un pasaje, y dirígete

---

2 «Prayer (I)», disponible en internet en Poetry Foundation, http:// www .poetryfoundation .org /poem/173636.

directamente a la oración. Alienta a las personas a compartir sus peticiones mediante su propia oración con la información necesaria para que otros entiendan la oración.

4. INCENTIVA ORACIONES BREVES Y ENFOCADAS

El contexto comunitario no es un lugar adecuado para divagar. Pone a prueba la atención y la concentración aun de los guerreros de oración más devotos, y contribuye a establecer un estándar de duración inaccesible para muchos y un pobre modelo para todos. En los momentos adecuados, insta a hacer oraciones breves y enfocadas, y tal vez incluso puedas incluir una etapa explícita para alabanzas o agradecimientos de una sola oración que puedan alentar a más personas a participar.

5. ORA SIN ESPECTÁCULO, PERO TEN EN CUENTA A LOS DEMÁS

Recuerda que la oración comunitaria no es para impresionar a otros —algunos personajes necesitan especialmente un recordatorio constante— sino para reunirnos con otros en nuestras alabanzas, confesiones, agradecimientos y súplicas. Sin embargo, cuidar nuestra propia inclinación a orar para hacer espectáculo no implica olvidarnos ni desatender a las otras personas reunidas.

La correcta oración comunitaria no se dirige solamente a Dios, sino que tiene en cuenta a quienes están orando en conjunto. Esto significa que, al estilo de Jesús, nosotros oramos más frecuentemente con palabras como «nosotros» y «nuestros», y con la autenticidad y la franqueza adecuada para quienes están reunidos.

Nueve beneficios de orar en comunidad

Es casi demasiado bueno para ser verdad —casi— que en Jesús tengamos acceso al mismísimo oído de Dios. Qué regalo indescriptible es que el Dios cuya grandeza excede nuestro entendimiento efectivamente se incline para oírnos.

Pero las alegrías y los beneficios de la oración no se limitan a nuestra vida personal de oración. Una alegría compartida es una doble alegría, y como hemos visto, Dios no quiere que oremos solamente en nuestro aposento, y «sin cesar» (1Ts 5:17) al avanzar en la vida con un espíritu de dependencia de él, sino también que oremos en compañía de otros.

Sin duda, ocurre un bien incalculable cuando los regenerados se juntan con sus hermanos; el hecho de orar juntos excede nuestro entendimiento de todo lo que Dios está haciendo. Pero nos ayuda a trazar algunas cosas buenas, y abre nuestro apetito por algunas de las gracias para las cuales nuestra oración en conjunto resulta ser un medio. Así pues, para ayudarnos a celebrar el rol y el poder de la oración comunitaria, aquí hay nueve beneficios de orar en comunidad.

1. PODER ADICIONAL

Mateo 18:15–20 puede ser uno de los textos más malinterpretados en el Nuevo Testamento. Esa promesa citada con frecuencia «donde dos o tres se reúnen en mi nombre, allí estoy yo, en medio de ellos» (v. 20) está ubicada al final de una sección sobre la disciplina de la iglesia aplicable cuando «tu hermano peca contra ti» (v. 15). Sin embargo, Jesús apela aquí a un principio más profundo que resulta ser un beneficio para la oración comunitaria. Dice: «si dos de ustedes en la tierra se ponen de acuerdo sobre *cualquier cosa* que pidan ...» (v. 19, NVI). Hay un poder adicional a nuestras oraciones cuando nos unimos a otros hermanos en la fe y llevamos nuestras súplicas al Padre con nuestros corazones en unidad.

2. Alegría multiplicada

Hagamos explícito lo que dijimos anteriormente: cuando compartimos la alegría de la oración, se duplica nuestra alegría. Cuando asumimos la práctica regular de orar en conjunto con otros creyentes, aprovechamos un canal de alegría que de otra manera estaríamos descuidando. Y al orar con otros, no solamente aumentamos nuestra alegría, sino también la de ellos. Y cuando trabajamos junto a otros para su alegría en Dios (2Co 1:24), nuevamente aumentamos la propia.

3. Mayor gloria a Dios

Nuestra alegría multiplicada en Dios produce luego una gloria multiplicada a Dios; porque *Dios se glorifica al máximo en nosotros cuando estamos satisfechos al máximo en él*[3]. Si oímos gratitud a él en términos de la gloria de Dios —lo cual deberíamos hacer a la luz de Romanos 1:21, donde la acción de darle gracias está conectada con honrarlo como Dios—, entonces 2 Corintios 1:11 hace explícita esta verdad en relación con la oración: «Si muchos oran por nosotros, también serán muchos los que den gracias a Dios por el don concedido a nosotros por tantas oraciones». Orar juntos no agrega solamente poder a nuestra súplica, sino que también implica más gloria al Dador cuando él responde.

4. Ministerio y misión fructíferos

Dios quiere que oremos unos por otros en nuestros diversos ministerios y expresiones de misión, a la luz de nuestra gran

---

3 Esta es una frase de John Piper que se repite a lo largo de sus escritos, y la misión de desiringGod.org, donde sirvo como editor ejecutivo, es ayudar a todas las personas a entender y adoptar esta verdad.

comisión compartida. Pablo dio el ejemplo pidiendo a las iglesias que orarann por su obra del evangelio (Ro 15:30–32; 2Co 1:11; Ef 6:18–20; Col 4:3–4; 2Ts 3:1). Él era más que capaz de orar por estas cosas él mismo, y sin duda lo hacía. Pero anticipaba que la obra sería más fructífera si otros se unían en oración.

5. UNIDAD ENTRE LOS CREYENTES

Orar en comunidad es una de las cosas más significativas que podemos hacer juntos para cultivar la unidad en la iglesia. Hay una unidad que se da por hecho en quienes son hermanos en Cristo y comparten la vida espiritual. Hechos 1:14 dice que los primeros cristianos «perseveraban unánimes en oración y ruego» (RV60). Ya tenemos «la unidad del Espíritu» y aun así debemos procurar mantenerla (Ef 4:3). Así que orar juntos es tanto un resultado de la unidad que ya compartimos en Cristo, como la causa de una unidad más profunda y enriquecedora. No es solamente un signo de que existe la unidad entre los hermanos sino también un catalizador para lograr mayor unidad.

6. RESPUESTAS QUE DE OTRO MODO NO RECIBIRÍAMOS

Santiago 5:14-16 implica que hay algunas respuestas a la oración que simplemente no recibiríamos sin incluir a otros en nuestra oración.

> ¿Hay entre ustedes algún enfermo? Que se llame a los ancianos de la iglesia, para que oren por él y lo unjan con aceite en el nombre del Señor[4]. La oración de fe sanará al enfermo,

---

4 Mucho podría decirse sobre la unción con aceite. Aunque este no es el lugar para un tratamiento completo del tema, vale la pena resumir brevemente, en un libro sobre los medios de gracia, la esencia de esta acción y cómo puede acompañar a la oración como un medio de gracia para el cristiano.
Algunos han especulado que la unción en Santiago 5 es medicinal, y que las instrucciones son simplemente aplicar la medicina contemporánea junto con la oración. Esta postura parece pasar por alto la riqueza de la teología a lo largo de las Escrituras acerca del simbolismo y el significado de la unción, una teología que culmina en Cristo mismo como el Ungido (*Cristo* significa «ungido»).

y el Señor lo levantará de su lecho. Si acaso ha pecado, sus pecados le serán perdonados. Confiesen sus pecados unos a otros, y oren unos por otros, para que sean sanados. La oración del justo es muy poderosa y efectiva.

Dios quiere que algunas respuestas a la oración aguarden a que otras personas se unan a nosotros en oración. A menudo oramos en soledad por nuestras necesidades personales, y Dios se complace en responder. Pero a veces espera que incluyamos a los líderes de la iglesia, o la oración sencilla de un hermano pecador justificado en Cristo.

7. Aprender y crecer en nuestras oraciones

Claro y simple, la mejor manera de aprender a orar es orando con otros que han moldeado sus oraciones mediante las Escrituras. Oye a los que están a tu alrededor que han desarrollado una relación con Dios en la oración suficiente como para atraer regularmente a otras personas para tener comunión mediante sus alabanzas y sus peticiones. Presta especial atención a cómo se dirigen a Dios, el tipo de cosas por las que agradecen y piden, y cómo tienen en cuenta a los demás en el contexto comunitario. Y más allá de lo que capta nuestra consciencia, estamos siendo moldeados profundamente al unir nuestros corazones con otras personas en oración.

A lo largo de la Biblia, la unción con aceite simboliza la consagración a Dios (Éx 28:41; Lc 4:18; Hch 4:27; 10:38; 2Co 1:21; Heb 1:9), siendo Cristo la mayor expresión de consagración a Dios en su vida humana perfecta, muerte humana sacrificial, y resurrección humana victoriosa de la tumba. Ungir con aceite es un acto externo del cuerpo que acompaña y expresa el deseo interno y la disposición de fe a dedicar a alguien o algo a Dios de una manera especial.

Aquí en Santiago 5, como escribe Douglas Moo, «Cuando los ancianos oran, deben ungir a la persona enferma para simbolizar que esa persona está siendo consagrada para la atención y el cuidado especial de Dios» Douglas Moo, *The Letter of James, Pillar New Testament Commentary* (Grand Rapids, MI: Eerdmans, 2000), 242. De manera similar a Santiago 5:14, Marcos 6:13 menciona la unción con aceite como un medio de gracia que acompaña la oración de los apóstoles por los enfermos. Los discípulos «ungían con aceite a muchos enfermos, y los sanaban». No produce la sanidad automáticamente, pero es una expresión de oración y un acto intensificador de la oración a Dios, pidiendo y esperando la sanidad.

8. Conocerse mutuamente

Una de las mejores maneras de conocer a otros creyentes es orando juntos. Es en la oración, en la presencia consciente de Dios, que somos más propensos a dejar que se desvanezcan las apariencias. Puedes oír sus corazones en la oración como en ningún otro lugar. Cuando oramos juntos, no solo revelamos lo que más cautiva nuestro corazón y lo que es verdaderamente nuestro tesoro, sino que, al orar juntos, dice Jack Miller, «puedes reconocer si un hombre o una mujer realmente tiene trato con Dios»[1].

9. Conocer más a Jesús

Reservando lo mejor para el final, el mayor beneficio es que podemos conocer mejor a Jesús al orar juntos, en su nombre, con otras personas que también lo aman. Con nuestra limitada visión y perspectiva, hay partes de Cristo que somos propensos a ver con mayor claridad que otros. Nuestras propias experiencias y personalidades enfatizan algunos aspectos de su gloria y nos ciegan para otros. Por eso Tim Keller observa: «Al orar con amigos, serás capaz de oír y ver facetas de Jesús que todavía no has percibido»[2].

Y como el gran propósito de la oración no es recibir cosas de Dios sino recibir a Dios, tal vez este único beneficio será suficiente para inspirarte a comenzar o aceptar la próxima oportunidad que tengas de orar con compañía.

---

1 Keller, *Prayer*, 23.
2 *Ibíd.*, 119.

Capítulo 10

Moldea tus afectos
con el ayuno

===

El ayuno ha atravesado una crisis; al menos eso parece, teniendo en cuenta nuestros estómagos atiborrados en la iglesia norteamericana. Hablo como uno de los que están bien alimentados.

Ciertamente encontrarás excepciones aquí y allá. Algunas personas incluso aprecian suficientemente lo contracultural como para encaminarse hacia la zanja del ascetismo. Pero son ampliamente superados en número por el resto de nosotros que viramos hacia el lado opuesto. Los peligros del ascetismo son grandes, solo superados por los peligros de la indulgencia excesiva.

Nuestro problema podría ser la manera en que pensamos sobre el ayuno. Si el acento está en la abstinencia, y el ayuno es simplemente un deber a llevar a cabo, entonces solamente las personas con voluntad de hierro superarán los obstáculos sociales y de auto-gratificación para realmente poner en práctica esta disciplina.

Pero si logramos entender el ayuno en relación con la alegría que nos puede traer, como un medio de la gracia de Dios para fortalecer y moldear afectos orientados hacia Dios, entonces podríamos encontrarnos utilizando una nueva herramienta poderosa para enriquecer nuestro gozo en Jesús.

¿Qué es el ayuno?

El ayuno es una herramienta excepcional, diseñada para canalizar y expresar nuestro deseo por Dios y nuestro descontento santo en un mundo caído. Es para aquellos que no están satisfechos con el *statu quo*. Para aquellos que quieren más de la gracia de Dios. Para aquellos que se sienten verdaderamente desesperados por Dios.

Las Escrituras incluyen muchas formas de ayuno: personal y comunitario, público y privado, congregacional y nacional, habitual y ocasional, parcial y absoluto. Por lo general, pensamos en el ayuno como la abstención voluntaria de alimentos por un tiempo limitado, con un propósito espiritual manifiesto.

También podemos ayunar de cosas buenas más allá del alimento y la bebida. Martyn Lloyd-Jones dijo: «El ayuno en realidad debería incluir la abstinencia de cualquier cosa que sea legítima en sí misma en beneficio de algún propósito espiritual especial»[3]. Pero el ayuno cristiano normal implica decidir de manera privada y ocasional no ingerir comida (aunque sí agua) por algún periodo especial de tiempo (ya sea uno, tres o siete días) en búsqueda de algún propósito espiritual específico.

Según Donald S. Whitney, los propósitos para el ayuno espiritual incluyen:

- Fortalecer la oración (Esd 8:23; Jl 2:13; Hch 13:3).
- Buscar la guía de Dios (Jue 20:26; Hch 14:23).
- Manifestar aflicción (1S 31:13; 2S 1:11–12).
- Buscar salvación o protección (2Cr 20:3–4; Esd 8:21–23).

---

3 D. Martyn Lloyd-Jones, *Studies in the Sermon on the Mount* (Grand Rapids, MI: Eerdmans, 1960), 1:38.

- Expresar arrepentimiento y regresar a Dios (1S 7:6; Jon 3:5–8).
- Humillarse ante Dios (1R 21:27–29; Sal 35:13).
- Expresar preocupación por la obra de Dios (Neh 1:3–4; Dn 9:3).
- Ministrar para las necesidades de otras personas (Is 58:3–7).
- Vencer la tentación y dedicarse a Dios (Mt 4:1–11).
- Expresar amor y adoración a Dios (Lc 2:37)[4].

Aunque los posibles propósitos son muchos, es el último el que puede ser de mayor utilidad para empezar a pensar en ayunar al leer este breve capítulo. Este incluye todos los demás y llega a la esencia de lo que hace del ayuno un medio de gracia tan poderoso.

Whitney lo entiende así: «El ayuno puede ser una expresión de haber encontrado en Dios tu mayor placer y gozo en la vida»[5]. Y cita una útil frase de Matthew Henry que dice que el ayuno sirve para «afinar los afectos piadosos».

Jesús da por sentado que ayunaremos

Aunque el Nuevo Testamento no incluye ningún mandato que diga que los cristianos deben ayunar en ciertos días o con una cierta frecuencia, claramente Jesús da por sentado que ayunaremos. Es una herramienta demasiado poderosa como para dejarla perpetuamente en la repisa juntando polvo. Si bien muchos textos bíblicos mencionan el ayuno, los dos pasajes más importantes aparecen en capítulos cercanos en el evangelio de Mateo.

El primer texto es Mateo 6:16-18, que viene a continuación de las enseñanzas de Jesús sobre la generosidad y la oración:

Cuando ustedes ayunen, no se muestren afligidos, como los hipócritas, porque ellos demudan su rostro para mostrar a la

---

4 *Spiritual Disciplines for the Christian Life*, ed. rev. (Colorado Springs: NavPress, 2014), 200–17.
5 Matthew Henry, *Commentary on the Whole Bible* (Nueva York: Funk and Wagnalls, s.f.), 4:1478, citado en Whitney, *Spiritual Disciplines for the Christian Life*, 214.

gente que están ayunando; de cierto les digo que ya se han
ganado su recompensa. Pero tú, cuando ayunes, perfúmate
la cabeza y lávate la cara, para no mostrar a los demás que
estás ayunando, sino a tu Padre que está en secreto, y tu
Padre que ve en lo secreto te recompensará en público.

El ayuno es algo tan básico para el cristianismo como pedir a
Dios y dar a otros. La clave de este pasaje es que Jesús no dice
«si ustedes ayunan», sino «cuando ustedes ayunen».

El segundo pasaje es Mateo 9:14-15, que puede ser incluso
más claro. ¿Deberían ayunar los cristianos en la actualidad? La
respuesta de Jesús es un sí rotundo.

Los discípulos de Juan se le acercaron entonces, y le preguntaron: «¿Por qué nosotros y los fariseos ayunamos muchas
veces, y tus discípulos no?». Jesús les respondió: «¿Acaso los
invitados a una boda pueden estar de luto mientras el esposo
está con ellos? ¡Claro que no! Pero vendrán días, cuando el
esposo les será quitado. Entonces ayunarán» (Mt 9:14-15).

Cuando Jesús, nuestro esposo, estuvo aquí en la tierra entre sus
discípulos, era tiempo para la disciplina del banquete[6]. Pero ahora
que el esposo «ha sido quitado», los discípulos «ayunarán».
No dice «podrían ayunar, si en algún momento encuentran el

---

6 Lo mucho que podría decirse sobre los banquetes como una disciplina espiritual merecería
un capítulo completo, pero tal vez sea mejor dirigir a los lectores al tratamiento que le da Joe
Ridney en su libro *The Things of Earth: Treasuring God by Enjoying His Gifts* (Wheaton, IL:
Crossway, 2015). Algunos lectores podrían suponer que los estómagos atiborrados de la iglesia
norteamericana difícilmente necesiten instrucción sobre banquetes festivos, ya que nos hemos
acostumbrado demasiado a eso, mientras que el ayuno es una disciplina sumamente desestimada.
Es verdad que el ayuno es mayormente ignorado y olvidado con demasiada frecuencia, pero la
verdadera festividad también está en declive por causa de la costumbre, el uso excesivo y la falta
de propósito espiritual. Cuando todos los días se convierten en un banquete festivo, ningún día
es verdaderamente festivo. Tenemos necesidad de recuperar el significado espiritual de festejar
banquetes juntos en fe, no simplemente dándonos un gusto, sino explícitamente, en ocasiones
especiales, celebrando juntos la abundancia y la bondad de nuestro creador y redentor. Para
los cristianos, nuestro consumo diario normal debe caracterizarse por suficiente moderación
como para que el banquete festivo sea algo que podamos hacer en ocasiones especiales, por fe
y en buena consciencia, en vez de ser lo normal de cada día. La moderación diaria mantiene
nuestros estómagos preparados para tiempos de banquete y hace posible cierto tipo de indulgencia especial en los días festivos.

tiempo para hacerlo», sino que dice «ayunarán». Esto queda confirmado por el patrón de ayuno que emergió enseguida en la iglesia primitiva (Hch 9:9; 13:2; 14:23).

Afina tus sentimientos

Lo que hace que el ayuno sea semejante regalo es su capacidad, con la ayuda del Espíritu Santo, de enfocar nuestros sentimientos y su expresión hacia Dios en oración. El ayuno camina de la mano con la oración. Como dice John Piper, el ayuno es «el sirviente hambriento de la oración» que «revela y repara».

> El ayuno revela la medida en que la comida nos domina —o la televisión, las computadoras, o todo aquello a lo que nos sometemos una y otra vez para encubrir la debilidad de nuestra hambre por Dios. Y el ayuno repara intensificando la franqueza de nuestra oración y expresando con todo nuestro cuerpo lo que la oración dice con el corazón: ¡ansío estar satisfecho solo en Dios![7].

Eso que arde en tus tripas, ese fuego vibrante en tu estómago, ansiando ser alimentado con más comida, indica que es tiempo de ayunar como un medio de gracia. Solamente cuando aceptamos voluntariamente el dolor de un estómago vacío logramos ver hasta qué punto hemos permitido que nuestro estómago sea nuestro dios (Fil 3:19).

Y en ese malestar constante de tener hambre está el motor del ayuno, generando el recordatorio de inclinar hacia Dios nuestro anhelo de alimento e inspirar un intensificado anhelo de Jesús. Piper dice que el ayuno es el signo de exclamación en la oración: «¡Oh Dios, esto es lo mucho que te deseo!»[8].

---

7 *When I Don't Desire God: How to Fight for Joy* (Wheaton, IL: Crossway, 2004), 171.
8 *A Hunger for God*, ed. rev. (Wheaton, IL: Crossway, 2013), 25–26. Para un tratamiento más profundo del ayuno, ver *A Hunger for God*.

¿Ayunarás tú?

Podría decirse más acerca de la abundante teología detrás del ayuno cristiano, pero este hábito de gracia es suficientemente simple. La pregunta es: ¿aprovecharás este poderoso medio de la gracia de Dios?

Al igual que el evangelio, el ayuno no es para los autosuficientes y para los que sienten que lo tienen todo resuelto. Es para los pobres en espíritu. Es para quienes están de duelo. Para los humildes. Para quienes tienen hambre y sed de justicia. En otras palabras, el ayuno es para los cristianos.

Es una medida desesperada, en momentos de desesperación, para aquellos que se consideran a sí mismos desesperados por Dios.

———

Un lento camino hacia el buen ayuno

Es posible que tú estés entre la gran cantidad de cristianos que no ayunan nunca o casi nunca. No es porque no hayamos leído nuestra Biblia, o no hayamos escuchado una predicación fiel, o no hayamos oído acerca del poder del ayuno, o sinceramente no lo hayamos querido hacer. En realidad, simplemente nunca nos decidimos a hacerlo.

En parte esto puede ser porque vivimos en una sociedad donde la comida está tan difundida que no solo comemos cuando no lo necesitamos, sino que a veces comemos incluso cuando no queremos hacerlo. Comemos para compartir una comida con otros, para entablar o hacer crecer relaciones (que son buenas razones), o simplemente por presión de los pares.

Y por supuesto, también están nuestros propios antojos y

ansias de satisfacción que nos mantienen alejados del malestar del ayuno.

Cuando ayunen

El ayuno es claramente contracultural en nuestra sociedad consumista, al igual que la abstinencia sexual antes del matrimonio. Si queremos aprender el arte perdido del ayuno y disfrutar su dulce fruto espiritual, eso no ocurrirá con nuestros ojos enfocados en la sociedad sino en nuestra Biblia abierta. Entonces, nuestra preocupación no será si debemos ayunar o no, sino cuándo ayunaremos. Como hemos visto, Jesús da por sentado que sus seguidores ayunarán, y promete que ocurrirá. No dice «si ayunan», sino «cuando ayunen» (Mt 6:16). Y no dice que es probable que sus seguidores ayunen, sino que «ayunarán» (Mt 9:15).

Ayunamos en esta vida porque creemos en la vida venidera. No tenemos que recibirlo todo aquí y ahora, porque tenemos una promesa por la cual tendremos todo en la era venidera. Ayunamos de lo que vemos y probamos, porque hemos probado y visto la bondad del Dios invisible, y estamos desesperadamente hambrientos por más de él.

Una medida radical y temporal

El ayuno es para este mundo, expandiendo nuestro corazón para recibir aire fresco que supere el dolor y los problemas a nuestro alrededor. Y es por causa del pecado y la debilidad que hay dentro nuestro, por lo cual expresamos nuestra insatisfacción y anhelamos más de Cristo.

Cuando Jesús regrese, el ayuno se acabará. Es una medida temporal, para esta vida y esta era, para enriquecer nuestro gozo en Jesús y preparar nuestro corazón para la próxima vida, y para verlo cara a cara. Cuando regrese, él no nos invitará a ayunar, sino que ofrecerá un banquete; entonces toda abstinencia santa habrá cumplido su glorioso propósito, y todos verán el gran regalo que fue.

Pero hasta ese momento, ayunaremos.

¿Cómo comenzar a ayunar?

Ayunar es difícil. Suena mucho más fácil como concepto de lo que resulta ser en la práctica. Puede sorprendernos cuán nerviosos nos sentimos cuando nos saltamos una comida. Muchos nuevos ayunadores idealistas deciden omitir una comida y encuentran que su estómago los lleva a compensarla antes de que llegue la hora de la próxima comida.

El ayuno suena tan simple, y sin embargo el mundo, nuestra carne y el diablo conspiran para que aparezca todo tipo de complicaciones para evitar que ocurra. Para ayudarte a comenzar el lento camino hacia el buen ayuno, aquí hay seis sencillos consejos. Estas sugerencias podrían parecer pedantes, pero mi esperanza es que estos consejos básicos puedan servirles a aquellos que son nuevos en el ayuno o que nunca lo han intentado seriamente.

1. Comienza despacio

Si nunca ayunas, no comiences repentinamente con un ayuno de una semana. Comienza con una comida; tal vez puedes ayunar una comida por semana durante varias semanas. Luego intenta dos comidas, y avanza en tu camino hacia un ayuno de un día de duración. Tal vez con el tiempo puedas intentar un ayuno con jugo por dos días.

Un ayuno con jugo significa abstenerse de toda comida y bebida, con excepción de jugo y agua. El hecho de permitir el jugo provee los nutrientes y el azúcar para que el cuerpo continúe funcionando mientras aún sientes los efectos de la ausencia de alimento sólido. (No se recomienda que te abstengas de agua en ningún ayuno de cualquier duración).

2. Planifica lo que harás en vez de comer

Ayunar no es simplemente un acto de auto-privación, sino una disciplina espiritual para buscar más de la plenitud de Dios. Esto significa que tendríamos que tener un plan para definir qué búsqueda positiva llevar a cabo en el tiempo que normalmente dedicamos a comer. Pasamos una buena cantidad de tiempo en nuestro día con un tenedor en la mano. Algo significativo del ayuno es el tiempo que se crea para la oración y la meditación en la Palabra de Dios.

Antes de zambullirte de cabeza en un ayuno, diseña un plan sencillo. Conéctalo al propósito de tu ayuno. Cada ayuno debería tener un propósito espiritual específico. Identifícalo y diseña un enfoque para reemplazar el tiempo que usas para comer. Sin un propósito y un plan, no es un ayuno cristiano; es simplemente pasar hambre.

3. Considera cómo afectará a otros

El ayuno no es una licencia para no ser amable. Sería triste carecer de interés y preocupación por otros a nuestro alrededor por causa de esta expresión de un enfoque intensificado en Dios. El amor por Dios y por el prójimo van juntos. El buen ayuno vincula la preocupación horizontal con la vertical. En todo caso, las otras personas deberían sentirse aún más amadas y cuidadas cuando estamos ayunando.

Así que, al planificar tu ayuno, considera cómo afectará a otros. Si tienes almuerzos regulares con colegas o cenas con la familia o con compañeros, evalúa de qué manera tu abstención los afectará a ellos, y avísales con tiempo, en vez de simplemente ausentarte sin aviso o revelarles repentinamente que no comerás.

Además, considera esta inspiración furtiva para el ayuno: si tienes la práctica de comer con un particular grupo de amigos o familiares diaria o semanalmente, y esos planes se interrumpen por el viaje de alguien, por vacaciones o circunstancias atípicas, considéralo como una oportunidad para ayunar, en vez de comer a solas.

4. INTENTA DIFERENTES TIPOS DE AYUNO

La manera típica del ayuno es personal, privado y parcial, pero en la Biblia encontramos variedad de formas: ayuno personal y comunitario, privado y público, congregacional y nacional, regular y ocasional, absoluto y parcial.

En particular, considera ayunar junto con tu familia, un grupo pequeño o la iglesia. ¿Comparten alguna necesidad especial de sabiduría y guía de Dios? ¿Existe una dificultad inusual en la iglesia, o en la sociedad, por la cual necesitan la intervención de Dios? ¿Desean mantener en mente la segunda venida de Cristo? Supliquen la ayuda de Dios con intensidad especial uniendo sus manos junto a otros creyentes para ayunar juntos.

5. AYUNA DE ALGO QUE NO SEA COMIDA

EL ayuno de comida no es necesariamente para todas las personas. Algunas condiciones de salud hacen que hasta el más devoto no pueda seguir la forma tradicional. Sin embargo, el ayuno no se limita a la abstinencia de comida, como vimos en la cita de Martyn Lloyd-Jones: «El ayuno en realidad debería incluir la abstinencia de cualquier cosa que sea legítima en sí misma en beneficio de algún propósito espiritual especial»[1].

Teniendo en cuenta la condición de tu salud, si en tu caso resulta sabio no abstenerte de comida, considera hacer un ayuno de televisión, de computadora, de redes sociales, o de alguna

---

1 Lloyd-Jones, *Studies in the Sermon on the Mount*, 1:38.

otra cosa que disfrutes regularmente para poder orientar tu corazón hacia un mayor disfrute de Jesús. Pablo incluso habla de parejas casadas que ayunan del sexo «por algún tiempo... para dedicarse a la oración» (1Co 7:5).

6. No pienses en cosas grandes pero inútiles

Cuando tu estómago vacío comienza a gruñir y enviar a tu cerebro señales que dicen «dame de comer», no te contentes con permitir que tu mente se mortifique por el hecho de que no has comido. Si logras superarlo con una voluntad de hierro que le dice no a tu estómago, pero no hace que los ojos de tu mente se vuelvan hacia otro lado, no es un verdadero ayuno.

El ayuno cristiano vuelve la atención hacia Jesús o hacia alguna buena causa suya en el mundo. El ayuno cristiano busca quitar los dolores del hambre y transformarlos en acordes de algún himno eterno, ya sea batallando contra el pecado, suplicando por la salvación de alguien o por la causa de los niños no nacidos, o anhelando una mayor experiencia de Jesús.

Capítulo 11

El diario personal como un camino al gozo

———

Tal vez nunca hayas considerado el escribir un diario personal como un posible medio de gracia. Pareciera que es algo solo para los introvertidos más narcisistas, o algo simpático para chicas adolescentes, pero poco práctico para los adultos. *¿Qué, yo? ¿Un diario? Estoy demasiado ocupado con el hoy y el mañana como para dedicarle más tiempo al ayer.* Es posible que estés en lo cierto. Tal vez pienses que llevar un diario incluye mucho egocentrismo inútil y es de poco valor para el mundo real.

¿Pero qué ocurriría si hubiera otro concepto? ¿Qué pasaría si llevar un diario no se tratara simplemente de registrar el pasado, sino de prepararse para el futuro? ¿Y qué pasaría si, por causa de la gracia de Dios en nuestro pasado y sus promesas para nuestro futuro, llevar un registro se tratara de profundizar nuestro gozo en el presente?

Tal vez ningún otro nuevo hábito enriquezca tu vida espiritual más que llevar un diario personal.

No hay formas erróneas ni obligación

Un buen diario en realidad es como tú lo hagas. Puede ser un documento en tu computadora, o simplemente un buen anotador antiguo. Puede ser formal o informal, puede incluir anotaciones largas o breves, y puede ser una práctica diaria o algo ocasional. Puede ser un lugar donde registrar la providencia de Dios, remover las capas de tu propio corazón, escribir tus oraciones, meditar en la Escritura y soñar acerca del futuro.

El objetivo no es dejar un catálogo impresionante de tus logros deslumbrantes y conocimientos brillantes para que las futuras generaciones lean y admiren. Muere a esa idea antes de tomar tu pluma. El objetivo es la gloria de Cristo, no la tuya propia, en tu continuo crecimiento a su imagen, para expandir y enriquecer tu gozo.

Aunque muchos de los salmos parecen anotaciones divinamente inspiradas de un diario personal, no hay en la Escritura un mandamiento de llevar un diario. A diferencia de otras disciplinas espirituales, Jesús no nos dejó un modelo de cómo escribir un diario; él no tuvo uno.

Llevar un diario no es algo esencial para la vida cristiana. Pero es una oportunidad poderosa, especialmente con las tecnologías que tenemos a nuestra disposición en la actualidad. Muchas personas a lo largo de la historia de la iglesia y alrededor del mundo han considerado el hecho de llevar un diario personal como un medio regular de la gracia de Dios en su vida.

¿Por qué llevar un diario personal?

Con los ojos de la fe, la vida cristiana es una gran aventura, y un diario personal puede ser muy beneficioso para aumentar nuestro gozo a lo largo del camino. Dentro de nosotros y a nuestro alrededor siempre sucede más de lo que podemos apreciar en el momento. Llevar un diario es una manera de reducir la velocidad de la vida por solo unos momentos, e intentar procesar al menos un fragmento de la vida para la gloria de Dios, para nuestro propio crecimiento y desarrollo, y para disfrutar de los detalles.

El hecho de llevar un diario tiene el atractivo de combinar el andar de nuestra vida con la mente de Dios. Permeado por la oración y saturado de la Palabra de Dios, el diario personal puede ser una manera poderosa de oír la voz de Dios en las Escrituras y hacerle saber nuestras peticiones. Considéralo una sub-disciplina de la lectura de la Biblia, y especialmente de la oración. Permite que un espíritu de oración impregne, y que la Palabra de Dios inspire, moldee y dirija lo que reflexionas y escribes.

PARA REGISTRAR EL PASADO

Llevar un buen diario personal es mucho más que simplemente plasmar el pasado, aunque registrar sucesos pasados sea uno de los instintos más comunes en esta actividad. Los cristianos reconocemos esos eventos como providencia de Dios. Cuando nos ocurre algún suceso importante, o pasa algo a nuestro alrededor, o alguna «casualidad» irrumpe con rasgos divinos, el diario personal es un lugar para registrarlo y tenerlo disponible como referencia para el futuro.

Ponerlo por escrito provee una oportunidad para dar gracias y alabar a Dios –no solo en ese momento, sino también en el futuro cuando volvamos a ver lo que hemos registrado. Si no plasmamos un breve registro de esta buena providencia o esa respuesta a la oración, rápidamente olvidamos la bendición, o la frustración, y perdemos la oportunidad de ver más adelante con especificidad cómo «esta gracia nos ha traído hasta aquí», en palabras del famoso himno de John Newton. Un diario personal también se vuelve un lugar donde podemos mirar hacia atrás no solo lo que ha ocurrido, sino la manera en que pensábamos y sentíamos sobre esa cuestión en ese momento.

Pero llevar un buen diario no es solo acerca del ayer; también se trata del crecimiento hacia el futuro.

Construir un futuro mejor

Una cosa es pensar algo en un momento fugaz; otra cosa es ponerlo por escrito. Al escribir los pensamientos minuciosos que tenemos sobre Dios, las Escrituras, nosotros mismos y el mundo, esas impresiones se estampan más profundamente en nuestra alma y nos transforman más en el corto plazo y para el largo plazo.

Llevar un diario personal es una oportunidad para prepararse para el futuro. Podemos identificar los aspectos que necesitamos cambiar, establecer objetivos, determinar prioridades y evaluar el progreso. Podemos analizar cómo estamos en los otros hábitos de gracia que queremos practicar. Y la disciplina regular de llevar un diario personal te ayudará a crecer como comunicador y escritor, mientras practicas cómo poner tus pensamientos en palabras y por escrito. Tu diario es tu arenero, donde puedes probar tu habilidad con metáforas audaces y estilos literarios. Es un lugar seguro para realizar prácticas antes de llegar al público.

Para enriquecer el presente

Finalmente, y lo más significativo, llevar un diario personal no se trata solo de ayer y de mañana, sino de hoy, y de nuestro gozo en el presente. Aquí hay tres maneras, entre otras, de usar el diario personal para enriquecer el presente.

1. Examinar

Sócrates exageró, pero algo de razón tenía, cuando dijo que la vida no examinada no es digna de ser vivida. Aunque con limitaciones, en la vida cristiana hay un lugar importante para la introspección y el autoexamen. Por un lado, es una oportunidad para aprender que el cristiano «no tenga más alto concepto de sí que el que debe tener, sino que piense de sí con sensatez» (Ro 12:3). Hay un tiempo para examinarse a uno mismo (2Co 13:5). Nuestra tendencia al llevar un diario personal es comenzar con un autoexamen, aunque queramos avanzar más y ver el evangelio irrumpiendo con nuevos rayos de esperanza.

Parte esencial de llevar un buen diario no es solo el autoexamen, sino la intención de salirse de uno mismo y quedar absorto en algo grande —en particular, en Alguien grande. Cuando estás triste, enojado o preocupado, deja que tu diario comience con el estado de tu corazón. Sé honesto y sincero, pero pide a Dios la gracia de ir más allá de tus circunstancias, por más sombrías que puedan ser, para encontrar esperanza en él. Esto es lo que ocurre con frecuencia en los salmos: comienzan con tribulaciones, finalizan con esperanza. Llevar un diario es una oportunidad para predicarte nuevamente el evangelio a ti mismo, comenzando en el lugar donde te encuentras, sin alimentarte simplemente con las afirmaciones de verdad envasadas a las que tenderás sin detenerte a reflexionar y escribir.

2. Meditar

Piensa en el acto de llevar un diario como el sirviente de esa disciplina cristiana vital que observamos en el capítulo 3, la meditación. Este probablemente sea el mayor rol que el diario puede desempeñar, junto con la oración, en la práctica de los medios de gracia. Toma alguna porción provechosa del evangelio en tu lectura de la Biblia, o un pasaje desconcertante en el cual quedaste estancado, y permite que tu diario sea tu laboratorio de aprendizaje. Plantea una pregunta difícil, expone una respuesta bíblica, y aplícala a tu corazón y a tu vida.

3. Desenredar, revelar, y soñar

Finalmente, al llevar un diario, somos capaces de desenredar nuestros pensamientos, revelar nuestras emociones, y soñar nuevos emprendimientos. La disciplina de escribir facilita el pensamiento minucioso, favorece los sentimientos profundos, e inspira la acción intencional.

Poner en palabras sobre el papel nuestros pensamientos y sentimientos complicados y confusos puede traer profundo gozo y satisfacción. Nuestra mente y nuestro corazón cargan con tantos pensamientos y sentimientos inconclusos que solamente somos capaces de concluirlos al ponerlos por escrito. Así como la alabanza no es solamente la expresión del gozo sino su consumación, eso mismo es el hecho de escribir para el alma. El hecho de escribir no registra meramente lo que ya está dentro nuestro, sino que, en el mismo acto de escribir, permitimos que nuestra mente y nuestro corazón avancen un paso más, y luego dos y luego tres. Produce el efecto de cristalización. La buena escritura no es solo la expresión de lo que ya estamos experimentando, sino su profundización.

Es algo extraordinario que Dios haya hecho un mundo tan predispuesto para las palabras escritas, y haya diseñado a los seres humanos tan naturalmente para escribirlas y leerlas. E hizo nuestras mentes de tal manera que somos capaces de llevar los pensamientos más allá, y hacerlo en mayor detalle de lo que nuestra memoria de corto plazo puede registrar en el momento. Cuando escribimos, no solo desenredamos nuestros pensamientos, revelamos nuestras emociones, y soñamos nuevas iniciativas, sino que también desarrollamos todo eso.

Por tanto, llevar un diario personal no es solo un ejercicio de introspección, sino un camino hacia el gozo, y una herramienta poderosa en manos del amor.

Cinco maneras de crecer mediante un diario personal

Tal vez estés convencido del potencial valor espiritual del hábito de llevar un diario personal, pero simplemente no sabes cómo comenzar, o cómo continuar haciéndolo.

Puede ser útil oír que esencialmente no hay una manera errónea de hacerlo, ni reglas específicas, sino que puedes inventar tu propia forma de hacerlo. Sé tan creativo como te sea cómodo. Adopta ideas diversas y combínalas como prefieras. No te encierres en una manera de hacerlo, y no te sofoques por el ejemplo de otra persona.

Para ayudarte a comenzar, o a continuar, en el hábito de llevar tu diario personal como una disciplina espiritual para la gloria de Dios, para el bien de otros y para la profundización de tu propio gozo, aquí hay cinco consejos adicionales para crecer en este proyecto.

1. MANTEN LA SIMPLEZA

Llevar un diario es un regalo para el largo plazo. El intento excepcional pero fugaz tiene poco valor. Por lo tanto, un consejo importante para llevar el diario es mantenerlo lo bastante simple como para no abandonarlo.

Sé modesto en tus planes respecto de la frecuencia y longitud de tus anotaciones. Si tus expectativas son demasiado comprometidas y complejas, entonces será menos probable que continúes haciéndolo con el paso del tiempo. Si tu único modelo de diario personal requiere media hora o cuarenta y cinco minutos, entonces será mucho menos probable que desarrolles el hábito que si tu expectativa fuera de cinco minutos.

Si recién estás comenzando, o estás retomando la práctica, no intentes acelerar de cero a cien, sino avanza pequeños pasos con regularidad. Una idea para mantener el impulso es intentar escribir algo corto durante las devociones diarias, aunque sea una oración. He descubierto que intentar escribir solo una oración cada día es una manera útil para que no existan largos lapsos vacíos entre anotaciones.

2. No lo abarques todo

Incluso quienes no nos consideramos típicamente como perfeccionistas podemos encontrar la fuerza magnética del perfeccionismo interfiriendo en nuestra práctica de llevar un diario. Es fácil caer en la mentalidad de que nuestro diario debe contener todos los principales eventos, pensamientos, y sentimientos de nuestra vida para que sea verdaderamente un diario. Pero sencillamente no es así. El diario debe ser algo que sirva para tu vida, y no al revés.

Las mejores secciones de un diario de toda la vida están «incompletas» en el sentido de que no es posible que contengan todo lo significativo, ni por casualidad —y si sus escritores pensaran que esa era su obligación, entonces lo habrían abandonado hace tiempo. No necesita ser un registro exhaustivo de tu existencia. No debe serlo. No puede serlo.

3. Toma a Dios en serio

Algo vital para que tu diario sea útil para tu energía espiritual es saturarlo con la Escritura y permearlo con la oración. Con la frecuencia que consideres natural, haz que tu diario se oriente hacia Dios, no solo con textos específicos de la Biblia, sino con oraciones cuidadosamente elaboradas. Llevar un diario y orar en privado puede ser útil como un termostato para medir la solemnidad acerca de Jesús, sus providencias y nuestra relación con él.

Pero no te tomes demasiado en serio a ti mismo. No esperes que tus registros y reflexiones sobre la vida un día llegarán a ser apreciados por el público general cristiano. Es muy probable que nunca nadie lea tu diario, ni siquiera tus hijos una vez que hayas fallecido. Será mejor si no lo hacen. Las mejores anotaciones de un diario son solamente para ti mismo y para Dios, sin mirar constantemente hacia los costados pensando en lo que otras personas podrían pensar si estuvieran leyendo. Resuelve la cuestión ahora mismo en tu propio corazón, y escribe por el bien de tu propia alma. No alteres el curso del valor de llevar un diario personal durante toda la vida por si acaso alguien lo lea algún día.

Además, no tomarte demasiado en serio significa tener cuidado con tus intuiciones e interpretaciones sobre las providencias de Dios. Toma la Escritura con la mayor seriedad, pero procede con cuidado cuando piensas que «oyes la voz de Dios» o ves su guía a través de las épocas y las circunstancias. No te apures a permitir que una ráfaga espectacular de inspiración al escribir en el diario dirija una gran decisión de tu vida sin evaluarla cuidadosamente con el paso del tiempo y en comunidad.

4. Trae el Evangelio

Aquellos cristianos que crecen llevando un diario personal no solo oran y meditan sobre la Escritura en general, sino que buscan aplicar el evangelio específicamente a sus miedos y frustraciones, sus altibajos, sus alegrías y sus penas. Cuando comienzas a escribir en tu diario estando atormentado, intenta seguir el camino de los salmistas y concluye con esperanza. Haz que 2 Corintios 4:8-9 cobre vida al completar los espacios vacíos con palabras. Cuando estés atribulado, alégrate de que no estás angustiado; cuando estés en apuros, ahuyenta la desesperación; cuando estés perseguido, recuerda que no estás desamparado; cuando estés derribado, reconoce que no serás destruido.

Tu diario es un lugar para predicarte nuevamente el evangelio, en tus circunstancias particulares, sin repetir como un loro los versículos de tu depósito de verdad en los que caerás si no haces una pausa para meditar. Registra en tus propias palabras lo que verdaderamente estás sintiendo, y luego busca las palabras de Dios que satisfacen tu necesidad. Diseña a tu medida la aplicación para este día.

5. Continúa

Aun cuando te apropias del hábito de llevar un diario personal, mantienes la simpleza y no te preocupas por abarcarlo todo, todavía está la necesidad de perseverar a largo plazo. Cuando la novedad se desgasta y tu energía para escribir comienza a disminuir, recuerda que enfrentarse a una barrera así al desarrollar un nuevo hábito útil es algo natural. Pide ayuda a Dios para superar la fricción, con el poder que Dios da (1P 4:11), y «con todas las fuerzas y con el poder que actúa en mí» (Col 1:29).

Con frecuencia lo más difícil es simplemente sentarse y mover esa manivela interna oxidada para hacer fluir las palabras. Pero una vez que se abre la compuerta, el río comienza a fluir.

Capítulo 12

Toma un descanso del caos

=====

Es sorprendente cuán fuerte puede sonar el silencio. Especialmente cuando no estamos acostumbrados. Esa es mi experiencia cada invierno, sentado en el mirador de venados, la única estructura hecha por el hombre que puede verse alrededor. Estoy solo en el bosque, todo está en silencio —excepto por el zumbido del viento frío de Minnesota— y mi alma se está relajando de tantos meses en la jungla urbana. El cuerpo y el alma encuentran allí un aire fresco que es difícil conseguir en la gran ciudad.

Quiero que vengas conmigo. No al mirador (eso lo arruinaría) sino a algún lugar silencioso y ocasional de tu propia soledad. Necesitas un descanso del caos, del ruido y de las multitudes; lo necesitas más de lo que puedas imaginar al principio. Necesitas las disciplinas espirituales del silencio y la soledad.

Silencio y soledad

Somos humanos, no máquinas. Fuimos hechos para combinar el silencio y el ruido, la comunidad y la soledad. No es saludable estar siempre rodeado de personas, como tampoco es saludable estar casi siempre en soledad. Dios nos creó para ciclos y etapas, rutinas y cadencias.

Desde el comienzo del tiempo, hemos necesitado nuestros descansos. Incluso el mismo Dios-hombre fue «llevado por el Espíritu al desierto» (Mt 4:1), «se fue a un lugar apartado» (Mc 1:35; Lc 4:42), y «subió al monte a orar aparte» (Mt 14:23).

Alejarse de vez en cuando ha sido siempre una necesidad humana, pero es más apremiante en la vida moderna. Especialmente en la vida urbana. Sin lugar a duda, todo está más abarrotado, y más ruidoso, que nunca antes.

Donald S. Whitney dice que «uno de los costos del progreso tecnológico es una mayor tentación a evitar la quietud». Por eso, muchos de nosotros «necesitamos reconocer la adicción que tenemos al ruido»[1]. A veces me descubro cambiando inconscientemente la radio cada vez que me subo al automóvil. A veces la apago y dirijo mis pensamientos hacia Dios en oración. En medio de una semana atareada, es notable cuán extraño, y maravilloso, puede ser el silencio.

Por esta causa, los excesos y las desventajas de la vida moderna han aumentado el valor del silencio y la soledad como disciplinas espirituales. Es posible que necesitemos aislarnos y disfrutar de la quietud hoy más que nunca.

¿Por qué aislarse?

No basta solo con aislarse. Hay un beneficio en relajar el espíritu y alejarse de la selva de concreto, disfrutar la naturaleza y permitir que tu alma respire aire fresco. Pero no hay nada específicamente cristiano en eso. Los que estamos en Cristo queremos regresar mejor; no solo descansados, sino más preparados para amar y sacrificarnos. Queremos encontrar una nueva claridad, resolución e iniciativa, y regresar preparados para redoblar nuestros

---

1 *Spiritual Disciplines for the Christian Life*, ed. rev. (Colorado Springs: NavPress, 2014), 228.

esfuerzos, mediante la fe, en nuestro llamado en el hogar, con amigos, en el trabajo y en el cuerpo de Cristo.

Un beneficio del silencio es simplemente investigar las profundidades de nuestra propia alma, descubriendo cuáles han llegado a ser nuestros puntos ciegos en el ajetreo de nuestra vida cotidiana. En la hiperactividad, ¿hay algo importante que esté descuidando o reprimiendo? ¿Cómo estoy llevando a cabo mis diversos roles? ¿Dónde necesito volver a enfocarme?

Voces en el silencio

Podríamos aislarnos y estar en quietud para oír nuestra propia voz interna, los murmullos de nuestra alma que son fácilmente ahogados en el ruido y las multitudes. Pero lo más importante que debemos oír en el silencio es la voz de Dios. El objetivo de practicar el silencio como una disciplina espiritual no es para que podamos oír la voz audible de Dios, sino que podamos estar menos distraídos y oír mejor cuando habla, con mayor claridad aún, en su Palabra.

El alejarse, estar en quietud y soledad, no es de suyo una gracia especial. Pero el objetivo es crear un contexto para mejorar nuestra escucha de Dios en su Palabra y responderle en oración. Entonces el silencio y la soledad no son medios de gracia directos en sí mismos, pero pueden facilitar los medios —como la cafeína, el descanso, el ejercicio, y el canto— para tener encuentros más directos con Dios en su Palabra y en la oración.

Cuidado con los peligros

Tanto el silencio como la soledad tienen sus peligros. Son como el ayuno, en que nos privamos de un buen regalo de Dios, algo para lo cual fuimos diseñados, por un cierto tiempo limitado, en beneficio de algún propósito y fruto espiritual. El silencio y la soledad son tipos de ayuno, una pausa de la normalidad cuyo propósito no es tomar el control de la vida.

El silencio y la soledad no son estados ideales, sino patrones de vida para estabilizarnos en beneficio de un regreso productivo hacia las personas y el ruido. Estas disciplinas son beneficiosas por causa de nuestras debilidades en esta presente era. Es dudoso que en la nueva creación necesitemos algo de soledad, aunque es posible que haya silencio de adoración (Ap 8:1). El libro de Apocalipsis presenta el cielo ruidoso y lleno de gente, en el mejor sentido.

La soledad es un tipo de complemento a la comunión, un ayuno de otras personas, para hacernos regresar a ellos de la mejor manera. Y el silencio es un ayuno del ruido y la conversación, para mejorar nuestra forma de escuchar y de hablar. Pero Dios no pretende que ayunemos por mucho tiempo de comida, comunión, ruido y conversación. Y no hay nada en la Escritura que nos llevaría a pensar que él quiere que ayunemos de su Palabra y de la oración. De hecho, en el corazón del buen silencio y la soledad se encuentra un compromiso incrementado con la Palabra de Dios y la oración.

Haz espacio para recesos diarios

Gran parte de la plática sobre el silencio y la soledad como disciplinas espirituales parece implicar algún tipo de retiro especial de la vida normal, pero los pequeños «retiros» diarios también pueden ser vitales. Esos momentos breves, en silencio y soledad, para oír la voz de Dios en su Palabra y responder en oración pueden ser más provechosos en la mañana cuando estamos descansados y despejados, y el caos del día todavía no cobra fuerza a nuestro alrededor.

Algunos cristianos lo han llamado un «tiempo de quietud», subrayando el silencio; otros lo llaman «tiempo a solas con Dios» enfatizando la soledad. Comoquiera que lo llames, estos breves momentos diarios para entrar en comunión con Dios en la Escritura y en la oración son posibles en medio del caos de la vida moderna, y son invaluables para cuidar nuestra mente y nuestro corazón en un mundo ruidoso y lleno de gente.

Planifica un retiro especial

También puede ser provechoso planificar retiros especiales. En esta etapa de mi vida, siendo un padre joven, casi lo único que resulta realista para mí es un fin de semana largo en el mirador de venados una vez por año. Idealmente, una escapada así podría ser algo que hagas dos veces por año, o incluso una vez por trimestre. Puede ser en un lugar cerrado o al aire libre, totalmente en soledad (a kilómetros de distancia de otro ser humano) o en el mismo lugar que otros, practicando la «soledad en conjunto», cada uno en su propio espacio. Los detalles variarán, pero yo recomiendo el hábito general para tu alma; dudo que ocurra en tu vida sin una actitud proactiva e iniciativa para planificar de antemano.

Para cuando lo incluyas en tu agenda y encuentres un lugar donde hacerlo, aquí hay algunas ideas para llevar a cabo en ese momento especial de silencio y soledad.

- Ora pidiendo la bendición de Dios, que saque a la luz aquello que necesita una atención renovada en tu vida, y que su Espíritu haga que tu subconsciente «hable» honestamente a tu alma. No des por sentado que las voces en tu mente son de Dios; piensa que son tuyas. Para oír a Dios, toma las Escrituras, y si tus propios pensamientos se alinean con lo que Dios ha revelado en su Palabra, tómalos como un regalo de Dios y llévalos al corazón.
- Lee y medita en la Biblia, ya sea lo que tengas asignado para ese día en algún plan regular de lectura que estés usando en tus descansos diarios o alguna sección especial que hayas seleccionado para tu tiempo de retiro. Confía en que Dios se

encontrará contigo en su Palabra y guiará tu tiempo con la Escritura —no solo con iniciativas internas, sino en lo que su providencia haya puesto ante ti objetivamente en la Biblia.

- Tal vez puedes dedicar unos pocos minutos a oír el silencio, y dejar que tu alma comience a «relajarse», especialmente si llevas una agenda ocupada en una ciudad llena de gente.

- Lleva una computadora (¡considera apagar el wi-fi!) o una hoja y una pluma para escribir a la antigua. Luego de relajarte, lleva al papel las voces de tu cabeza (el silencio y la soledad de un retiro especial proveen un gran contexto para la disciplina espiritual de escribir un diario como mencionamos en el capítulo 11).

- Resiste el impulso de ir de inmediato a los detalles sobre tareas específicas que debes realizar cuando regreses a casa; intenta reflexionar sobre la vida y tu llamado en el panorama general, al menos para comenzar. Pero al ir concluyendo tu tiempo de retiro, busca ir a lo específico, y traer contigo a la vida normal algunas conclusiones que te ayudarán a sentir, incluso inmediatamente, el valor de tu retiro.

- Durante tu tiempo de retiro, incluye un momento prolongado de oración, guiado por las Escrituras, tal vez con el Padrenuestro, y continúa registrando pensamientos mientras orientas tu corazón hacia Dios en adoración, confesión, petición y súplica.

- Considera establecer un recordatorio en tu agenda después de algunos días o una semana de volver a casa para reflexionar sobre tu tiempo de retiro y leer las notas que tomaste o los registros que anotaste en el diario.

Es posible que no sepas cuánto necesitas el silencio y la soledad hasta que llegues a conocerlos.

Parte 3

PARTICIPA EN SU CUERPO

Comunión

Capítulo 13

Aprende a volar en la comunión

———

Es una lástima que la palabra «comunión» esté pasando por momentos difíciles en algunos círculos, y esté agonizando en manos de la domesticación y la trivialidad. La comunión es una realidad electrizante en el Nuevo Testamento, un ingrediente indispensable en la fe cristiana, y uno de los principales medios de gracia de Dios en nuestra vida.

La *koinonia* —palabra griega que significa comunidad, asociación, comunión— que mantenían los primeros cristianos no estaba arraigada en un amor compartido por la pizza, la música pop y una hermosa tarde de diversión con otras personas de la iglesia. Su esencia estaba en tener a Cristo en común, y en compartir su misión de vida o muerte en su llamado a llevar la fe a todo el mundo a pesar de la inminente persecución.

Con razón Tolkien llamó a sus nueve protagonistas «La Comunidad del Anillo». No se trata de amigos que se codean compartiendo aplicaciones móviles, bebidas y un partido de algún deporte por televisión. Es una aventura colectiva absoluta, de vida o muerte, enfrentando un gran mal y una abrumadora oposición. La verdadera comunión no se parece tanto a los amigos reunidos para ver la final del torneo de fútbol, sino más bien a los jugadores en la cancha, con sangre, sudor y lágrimas, agrupados en su campo planificando la próxima anotación. En esta era, la verdadera comunión se parece más a las tropas avanzando codo a codo en la playa de Normandía que a los que celebraban jubilosos en las calles en el Día de la Victoria.

Unidos por el evangelio

Los primeros cristianos no se entregaban solamente a la Palabra (la enseñanza de los apóstoles) y a la oración, sino también a la «comunión» (Hch 1:14; 2:42). Ante todo, su comunión era en Jesús (1Co 1:9), y en su Espíritu (2Co 13:14). En Cristo, habían llegado a ser coherederos de su divina herencia (Ro 8:17; Ef 3:6), pronto «todas las cosas las tenían en común» (Hch 2:44; 4:32), e incluso judíos y gentiles eran ahora conciudadanos (Ef 2:19). De cabo a cabo, el evangelio crea comunidad como ninguna otra cosa.

Pero esta comunión no es una comunidad aislada o una sociedad estática de mutua admiración. Es una «comunión en el evangelio» (Fil 1:5), entre aquellos que lo entregan todo por «el avance del evangelio» (1:12), mancomunados «para su progreso y gozo de la fe» (1:25). Como Pablo dice a los cristianos, es la comunión en la cual, «en la defensa y confirmación del evangelio, todos ustedes participan conmigo de la gracia» (1:7).

En una unidad así, no necesitamos preocuparnos demasiado por la posibilidad de olvidarnos de los perdidos y secuestrar el evangelio. La verdadera comunión hará exactamente lo contrario. Debe hacerlo. El mismo Jesús que nos une es el que nos envía. Lo que crea nuestra relación es el mensaje de salvación. Cuando la comunión es verdadera, la profundidad del amor mutuo no es un síntoma de crecimiento interno, sino la apologética final:

«En esto conocerán todos que ustedes son mis discípulos, si se aman unos a otros» (Jn 13:35).

Los textos hermanos sobre la comunión

Pero la verdadera comunión no se esfuerza solamente por ganar a los perdidos, sino que sirve para mantener a salvo a otros creyentes. El iceberg relacional que se encuentra debajo de la superficie de las Escrituras está especialmente próximo al nivel del mar en Hebreos. Aquí se erigen los textos gemelos sobre la comunión cristiana, posicionados como guardianes del corazón de la epístola, no sea que intentemos acceder a la gracia como individuos aislados. Tal vez el texto más conocido sea Hebreos 10:24-25:

> Tengámonos en cuenta unos a otros, a fin de estimularnos al amor y a las buenas obras. No dejemos de congregarnos, como es la costumbre de algunos, sino animémonos unos a otros; y con más razón ahora que vemos que aquel día se acerca.

Lo extraordinario aquí no es la convocatoria para seguir congregándose, sino la instrucción de que al reunirnos podamos mirar más allá de nuestra propia nariz a las necesidades de los demás. Una traducción literal es: «*Considérense unos a otros* para amor y buenas obras». Conózcanse unos a otros. Acérquense. Permanezcan cerca. Profundicen. Y *consideren* a personas particulares, e interactúen con ellos, para exhortarlos e inspirarlos al amor y a las buenas obras que sean adecuadas específicamente para su situación[1].

Aquí saboreamos cuán potente y personal es la comunión como un medio de gracia. Como compañeros bajo la Palabra de Dios y en oración, un hermano que me conoce como soy, y

---

1 Para seguir leyendo sobre el hecho de dar y recibir exhortación y represión, ver el capítulo 18.

no como un humano genérico, habla a mi vida la verdad con amor (Ef 4:15), y me entrega palabras tales «que contribuyan a la necesaria edificación y que sean de bendición para los oyentes» (Ef 4:29). Esta es una gracia invaluable.

Sean un medio de gracia para sus hermanos

El otro texto gemelo, entonces, es Hebreos 3:12–13:

> Hermanos, cuiden de que no haya entre ustedes ningún corazón pecaminoso e incrédulo, que los lleve a apartarse del Dios vivo. Más bien, anímense unos a otros día tras día... para que el engaño del pecado no endurezca a nadie.

Aquí la exhortación no recae sobre el creyente apartado para que regrese al camino, sino sobre las otras personas en la comunidad; que tengan suficiente proximidad, conocimiento y regularidad con él con el propósito de identificar su extravío y luchar con él, y por él, en contra del pecado. En consecuencia, este medio de gracia, en una circunstancia así, cumple una función única en la vida cristiana. EL encargo de dominar la voluntad y ser disciplinado no va para los que son espiritualmente débiles, sino que el cuerpo debe tomar la disciplina en nombre de las personas alejadas, para llevar la gracia a los que están luchando, para evitar la apostasía llevando palabras de verdad y de gracia a sus oídos abiertos y orando para que el Espíritu los vivifique.

La gloriosa red de contención de la gracia

La comunión puede ser el frecuentemente olvidado hijo del medio entre las disciplinas espirituales, pero puede salvar tu vida en la noche oscura de tu alma. Cuando pases por el valle de sombra de muerte, y el Pastor te conforte con su cayado, descubrirás que él ha preparado a su pueblo para que actúe como su vara de rescate. Cuando se ha secado tu deseo de escuchar su voz (en la Palabra), y cuando ha decaído tu energía espiritual para hablarle al oído (en la oración), Dios envía su cuerpo para hacerte volver. Generalmente el regreso de una persona alejada no ocurre por su propio esfuerzo, sino por el de sus hermanos (Stg 5:19-20), esfuerzo que para él es un medio invaluable de la gracia de Dios: la invaluable red de contención.

Los medios de la permanente gracia de Dios no son solamente su Palabra y la oración, sino también la verdadera comunión con aquellos que tienen en común a Aquel que es la gracia encarnada (Tit 2:11). La gracia de Dios no puede estar aislada en los individuos. El cristiano saludable, sea o no introvertido, de cualquier temperamento, en cualquier etapa de su vida, no busca minimizar las relaciones con sus hermanos en Cristo sino maximizarlas.

Dios nos ha dado hermanos en la iglesia, no solo para estar en compañía y combatir unidos, no solo para luchar contra la soledad y la apatía, sino para que cada uno sea para el otro un medio indispensable de su divino favor. Cada uno es para el otro un elemento esencial de la buena obra que Dios ha comenzado en nosotros y que promete completar (Fil 1:6).

Así es la verdadera comunión.

Haciendo que la comunión sea oficial

Algo que debe quedar explícito aquí al final de este primer capítulo sobre la comunión, y el comienzo de la parte 3 sobre los medios de gracia en la iglesia, es que la forma más profunda y duradera de comunión es mediante un pacto; en otras palabras, se da entre personas que han realizado compromisos formales unos con otros. Esto no se da solamente en el pacto matrimonial, sino también en la iglesia local. Cuando hacemos votos y promesas mutuamente al hacer un pacto en una iglesia local como «miembros» o «socios» (o cualquier término que se use en la iglesia), no inhibimos la verdadera vida de la iglesia, sino que le damos las verdaderas condiciones para su crecimiento y desarrollo.

Cuando nuestra comunión no es simplemente una red de vínculos cristianos flexibles, sino arraigados en un «pacto comunitario» particular como miembros comprometidos en una avanzada local del reino de Dios, nos acercamos a experimentar lo que hicieron aquellos primeros cristianos, cuando las personas no entraban y salían de la comunidad, sino que estaban dentro o fuera, y quienes estaban dentro estaban comprometidos a ser iglesia unos para otros en las buenas y en las malas. Una comunidad de pacto se parece al matrimonio cristiano en que es dentro del marco de compromisos establecidos y alianzas prometidas donde la vida relacional es protegida, cultivada y fomentada al máximo para que florezca[1].

Seis lecciones para saber escuchar

Concluyamos este capítulo considerando la importancia de escuchar, y cómo esta acción subestimada, que es esencial para la comunión, sirve como un medio de gracia para nosotros y para otras personas en la vida de la iglesia. Escuchar es una de las cosas más fáciles en la vida, y una de las más difíciles. En un sentido, escuchar es fácil —o mejor dicho *oír* es fácil. No exige la iniciativa y la energía que se requieren para hablar. Es por eso que «la fe proviene del oír, y el oír proviene de la palabra de Dios» (Ro 10:17). El punto es que oír es fácil, y la fe no es una expresión de nuestra actividad, sino de nuestra recepción de la actividad de otro. Es el hecho de «oír con fe» (Gá 3:2, 5) que acentúa los logros de Cristo y es así el canal de gracia que da inicio y sostiene la vida cristiana.

Pero a pesar de esta facilidad —o tal vez precisamente a causa de ella— a menudo luchamos en su contra. En nuestro pecado,

---

1 Para leer más sobre la naturaleza y la importancia de la membresía en la iglesia, ver mi breve artículo "Why Join a Church," http://www.desiringgod.org/articles/why-join-a-church.

preferimos confiar en nosotros mismos y no en otra persona, resaltar nuestra propia justicia en vez de recibir la de otro, escuchar nuestros propios pensamientos en lugar de escuchar a otros. La escucha verdadera, sostenida y activa es un gran acto de fe, y un gran medio de gracia, tanto para nosotros como para otras personas en la comunidad.

La carta magna sobre la escucha cristiana podría ser Santiago 1:19: «Todos ustedes deben estar dispuestos a oír, pero ser lentos para hablar y para enojarse». Es bastante simple en principio, y casi imposible en la práctica. Con demasiada frecuencia, no estamos dispuestos a escuchar, pero somos rápidos para hablar, y rápidos para enojarnos. Así que aprender a escuchar bien no es algo que ocurrirá de la noche a la mañana. Requiere disciplina, esfuerzo e intencionalidad. La gente dice que uno mejora con el paso del tiempo. Llegar a ser un mejor escuchador no depende de una gran decisión de ser mejor en una conversación en particular, sino de desarrollar un patrón de pequeñas decisiones —cultivar el hábito— de enfocarse en personas particulares en momentos específicos.

Recién persuadido de que esta es un área que necesita crecimiento en mi propia vida —y probablemente en la tuya también—, aquí comparto seis lecciones para saber escuchar bien. (Seguimos el ejemplo de los que pueden ser los textos sobre el escuchar más importantes fuera de la Biblia, la sección sobre «el ministerio de la escucha» en el libro *Vida en comunidad* de Dietrich Bonhoeffer, así como el artículo «How to Become a Good Listener» en el clásico libro de Janet Dunn *Discipleship Journal*[2]).

---

2 Bonhoeffer, *Life Together: The Classic Exploration of Faith in Community* (Nueva York: HarperOne, 2009), 97–99. (Versión en español: *Vida en comunidad*). El artículo de Dunn está disponible en desiringGod.org, http:// www .desiringgod .org /articles /how -to -become -a -good -listener.

1. ESCUCHAR ADECUADAMENTE REQUIERE PACIENCIA

Aquí Bonhoeffer nos da algo para evitar: «Un tipo de escucha a medias presumiendo que uno ya sabe lo que la otra persona tiene que decir». Él dice que esto «es una escucha impaciente y desatenta, que... solo está esperando una oportunidad para hablar». Podríamos pensar que sabemos hacia dónde se dirige el que está hablando, por lo cual ya comenzamos a formular nuestra respuesta. O estábamos haciendo algo cuando alguien comenzó a hablarnos, o tenemos otro compromiso inminente, y deseamos que terminen pronto de hablar.

O tal vez escuchamos a medias porque nuestra atención está dividida por nuestro contexto exterior y nuestro enfoque interno que tiende a regresar a uno mismo. Como lamenta Dunn: «Desafortunadamente, muchos de nosotros estamos demasiado preocupados con nosotros mismos cuando escuchamos. En vez de concentrarnos en lo que se está diciendo, estamos ocupados ya sea decidiendo qué responder o mentalmente rechazando el punto de vista de la otra persona».

Por lo tanto, ciertamente, el escuchar adecuadamente requiere concentración e implica que nos involucremos con ambos oídos, y escuchemos a la otra persona hasta que termine de hablar. Casi nunca el que habla comienza con lo más importante y lo más profundo. Necesitamos escuchar todo el hilo de pensamiento, hasta el final de todo, antes de avanzar.

La buena escucha apaga el celular y no interrumpe la historia, sino que es atenta y paciente. Implica estar externamente relajados e internamente activos. Requiere energía para bloquear las distracciones que nos siguen bombardeando, y cuestiones periféricas que continúan apareciendo en nuestra consciencia, y las muchas buenas excusas que podríamos tener para interrumpir. Cuando somos personas rápidas para hablar, se requiere una paciencia potenciada por el Espíritu no solo para estar dispuestos a escuchar, sino para continuar escuchando.

2. ESCUCHAR ADECUADAMENTE ES UNA DEMOSTRACIÓN DE AMOR

Bonhoeffer dice que la escucha a medias «desprecia al hermano y solo está esperando una oportunidad para hablar y deshacerse así de la otra persona». La escucha pobre rechaza; la buena escucha acoge. La escucha pobre desprecia a los demás, mientras que la buena escucha los invita a existir, y a importar. Bonhoeffer escribe: «Así como el amor a Dios comienza escuchando su Palabra, también el comienzo del amor a los hermanos es aprender a escucharlos».

La buena escucha está vinculada con la actitud de Cristo (Fil 2:5). Fluye de un corazón humilde que considera a los demás como superiores a sí mismo (Fil 2:3). No busca su propio interés, sino también los intereses de los demás (Fil 2:4). Es paciente y bondadoso (1Co 13:4).

3. ESCUCHAR ADECUADAMENTE IMPLICA HACE PREGUNTAS PERSPICACES

Este consejo se destaca en Proverbios. Es el necio a quien «la inteligencia no le causa placer; tan sólo le interesa exhibir lo que piensa» (18:2), y por eso «responde antes de oír» (18:13). Proverbios 20:5 dice: «Para la mente humana, los consejos son tan profundos como el océano; alcanzables sólo para quien es entendido».

La buena escucha hace preguntas perspicaces y de respuesta abierta, preguntas que no solo buscan respuestas de sí o no, sino que cuidadosamente van deshojando la cebolla y sondeando debajo de la superficie. Observa detenidamente la comunicación no verbal, pero no interroga ni husmea en detalles que el hablante no desea compartir. Sumisamente los sonsaca y ayuda a guiar al hablante hacia nuevas perspectivas mediante preguntas prudentes pero genuinas y orientadoras.

4. ESCUCHAR ADECUADAMENTE ES UN MINISTERIO

Según Bonhoeffer, hay muchas veces en que «escuchar puede ser un mayor servicio que hablar». Dios espera más de los cristianos que solamente nuestra buena escucha, pero no espera menos que eso. Habrá días en que el ministerio más importante que hagamos será poner el hombro para alguna persona herida, quitar la posición de brazos cruzados, inclinarnos hacia delante, mirar a los ojos del otro, y escuchar su dolor de principio a fin. Dunn dice:

> La buena escucha con frecuencia apacigua las emociones que son parte del problema que se está considerando. A veces lo único que se necesita para resolver el problema es liberar esas emociones. El hablante podría no querer ni esperar que digamos nada como respuesta.

Uno de los consejos de Dunn para cultivar la buena escucha es: «Poner más énfasis en la afirmación que en las respuestas... Muchas veces Dios simplemente quiere usarme como un canal de su amor reconfortante al escuchar con compasión y entendimiento». Es similar a lo que dice Bonhoeffer: «A menudo se puede ayudar a una persona simplemente con que alguien la escuche de verdad». A veces lo que nuestro prójimo más necesita es que otra persona conozca su situación, porque nos importa lo suficiente como para escucharlo.

5. ESCUCHAR ADECUADAMENTE NOS PREPARA PARA HABLAR BIEN

A veces la buena escucha simplemente escucha, y ministra mejor guardando silencio (por el momento), pero generalmente la buena escucha nos prepara para ministrar palabras de gracia precisamente en el lugar donde la otra persona tiene necesidad. Como escribe Bonhoeffer: «Deberíamos escuchar con los oídos de Dios para poder hablar la Palabra de Dios».

Mientras que el necio «responde antes de oír» (Pr 18:13), el sabio intenta resistir la actitud defensiva, y escuchar con una postura que no sea crítica, entrenándose para no formular opiniones o respuestas hasta que toda la explicación esté sobre la mesa y toda la historia haya sido oída.

6. ESCUCHAR ADECUADAMENTE REFLEJA NUESTRA RELACIÓN CON DIOS

Nuestra incapacidad para escuchar bien a otros puede ser un síntoma de un espíritu parlanchín que está ahogando la voz de Dios. Bonhoeffer advierte:

> Aquel que ya no puede escuchar a su hermano pronto dejará de escuchar también a Dios; no estará haciendo otra cosa que parlotear en la presencia de Dios. Este es el comienzo de la muerte de la vida espiritual.... Cualquiera que piense que su tiempo es demasiado valioso como para guardar silencio finalmente no tendrá tiempo para Dios ni para su hermano, sino solo para sí mismo y para sus propias tonterías.

La buena escucha es un gran medio de gracia en la dinámica de la verdadera comunión cristiana. No es solamente un canal por medio del cual Dios continúa haciendo fluir su gracia a nuestra vida, sino que también es su manera de usarnos como medio de gracia en la vida de los demás. Cultivar el hábito de escuchar adecuadamente puede ser una de las cosas más difíciles de aprender, pero encontraremos que habrá valido la pena cada gota de esfuerzo potenciado por la gracia.

Capítulo 14

Enciende el fuego en la adoración comunitaria

———

Fuimos creados para algo más que las devociones en privado. Con todo lo agradable que puede ser acurrucarse en algún recoveco, en nuestra propia soledad, y leer las Escrituras cuando tengamos ganas de leer, hacer las oraciones que prefiramos, escuchar las canciones que nos gusten, memorizar los versículos de nuestra elección, y ayunar de comida cuando nos sea conveniente; con todo lo importante que es seguir un patrón regular de «adoración privada» en estas disciplinas personales, este no es el pináculo de nuestra vida cristiana.

Fuimos creados para adorar a Jesús *juntos*. Entre la multitud. Con la gran muchedumbre. Rodeados por la magnífica congregación de los redimidos. Dios no nos diseñó para que al final disfrutáramos de él como individuos solitarios, sino como felices miembros de una inmensa familia innumerable.

Cuando se despeja la neblina de la vida cotidiana y captamos un destello de la dicha celestial, no nos encontramos recluidos en el escritorio de una oficina ni escondidos a solas en un aposento de oración en el paraíso, ni tampoco en soledad frente al Gran Cañón o la cima de la majestad de Dios, sino siendo alegremente parte de la multitud que adora a Cristo entre el pueblo de cada lengua, tribu y nación.

Fuimos creados para la adoración *comunitaria*.

Alegremente parte de la multitud

El cielo será más espectacular de lo que podemos imaginar —y la nueva tierra, aun mejor que el cielo—, pero podría parecer sorprendente escuchar que tal vez el mejor anticipo que podemos obtener antes de llegar se encuentra en la iglesia reunida, adorando juntos a Jesús. Esto no significa que la eternidad solo será un culto interminable de la iglesia, sino que estaremos maravillosamente inmersos en una multitud de compañeros adoradores que multiplicarán el gozo.

Y en la adoración celestial, no nos unimos solamente a «muchos ángeles... una multitud incontable; ¡miríadas y miríadas de ellos!» (Ap 5:11; cf. Heb 12:22), adorando a Jesús con «una incontable muchedumbre de ángeles» (Heb 12:22), sino también a la innumerable comunión de los redimidos:

> Una gran multitud compuesta de todas las naciones, tribus, pueblos y lenguas. Era imposible saber su número. Estaban de pie ante el trono, en presencia del Cordero... y a grandes voces gritaban: «La salvación proviene de nuestro Dios, que está sentado en el trono, y del Cordero» (Ap 7:9–10).

Aunque la adoración comunitaria de Jesús por parte de la iglesia *universal* es un elemento esencial en nuestro gran destino, es la adoración comunitaria de Jesús por parte de la iglesia *local* la que resulta ser un medio vital de la gracia de Dios para llevarnos allá.

El medio de gracia más importante

La adoración comunitaria es el medio de gracia más importante y nuestra mejor arma en la lucha por el gozo, porque como ningún otro medio, la adoración comunitaria combina los tres principios de la gracia continua de Dios: su Palabra, la oración y la comunión. La adoración comunitaria, con su predicación, los sacramentos, y las alabanzas, confesiones, peticiones y agradecimientos comunitarios, es lo que reúne con la mayor intensidad los dones de la voz de Dios, su oído y su cuerpo.

Por eso, según Donald S. Whitney, «existe un elemento en la adoración y en el cristianismo que no puede ser experimentado en la adoración privada o como observador de la adoración. Hay algunas gracias y bendiciones que Dios otorga solamente al "congregarnos" con otros creyentes»[3].

Tal vez tu propia experiencia de adoración comunitaria como un medio de gracia a veces haya sido parecida a la experiencia de Martín Lutero: «En casa, en mi propio hogar, no hay intensidad o vigor en mí, pero en la iglesia cuando la multitud se reúne, un fuego se enciende en mi corazón y se abre paso hacia mi interior»[4].

La adoración no es un medio

Pero hablar de la adoración como un medio de gracia es delicado, porque, como nos advierte John Piper, la verdadera adoración no es un medio para conseguir algo más.

> La adoración es un fin en sí misma. No participamos del banquete de la adoración como un medio para obtener algo más. La felicidad en Dios [que es el corazón de la adoración] es la consumación de toda nuestra búsqueda. Ninguna otra cosa puede ser buscada como una meta más alta…. La verdadera adoración no puede ser llevada a cabo como un medio para obtener alguna otra experiencia[5].

3 *Spiritual Disciplines for the Christian Life*, ed. rev. (Colorado Springs: NavPress, 2014), 111.
4 Citado en *Worship by the Book*, ed. D. A. Carson (Grand Rapids, MI: Zondervan, 2002), 159–160.
5 *Desiring God: Meditations of a Christian Hedonist*, ed. rev. (Colorado Springs: Multnomah, 2011), 90.

Entonces, ¿a qué nos referimos cuando decimos que la adoración comunitaria es un *medio esencial de la gracia de Dios*? ¿Puede realmente ser así?

El secreto del gozo: olvidarse de uno mismo

Una distinción que es importante hacer es la que hay entre la esencia de la adoración como el gozo en Dios y el contexto de la adoración comunitaria como una asamblea congregada. Si bien alabar juntos a Jesús es su mayor expresión específica, la adoración en general es mayor que la sola reunión de la iglesia; no es solo para los domingos por la mañana, sino para la vida cotidiana (Ro 12:1). Y relacionada con esta está la distinción entre cómo pensamos acerca de la adoración comunitaria (y las diversas motivaciones que nos llevan a adorar y los beneficios que recibimos) y cómo la experimentamos en el momento.

Hay más que decir (y se dirá más adelante) acerca de las «gracias y bendiciones que Dios otorga solamente al "congregarnos" con otros creyentes», lo cual puede inspirar nuestro compromiso fiel y ayudarnos a apreciar el rol insustituible que desempeña la adoración en nuestra salud y crecimiento cristiano. Pero primero, la pregunta es: ¿hacia dónde deberíamos orientar nuestro corazón y nuestra mente de manera colectiva *en el momento* de la adoración comunitaria para experimentar esta gracia de Dios?

La respuesta es que no deberíamos estar preocupados de manera egocéntrica por cómo estamos siendo fortalecidos o qué gracia estamos recibiendo. Más bien, nuestro enfoque en conjunto es el Cristo crucificado y resucitado, y las incomparables excelencias de su persona y obra (la cual ilumina todos los medios de gracia y diversas disciplinas espirituales, no solo la adoración comunitaria, y es la razón por la que el subtítulo de este libro comienza con «Disfrutando a Jesús»). La adoración comunitaria no es un medio de gracia cuando quedamos absortos en lo que estamos haciendo, sino cuando experimentamos el secreto de la adoración —el gozo de olvidarse de uno mismo— en tanto que unidos quedamos absortos con Jesús y sus múltiples perfecciones.

Entonces, veamos la significativa aplicación de la adoración comunitaria en este resumen de Piper:

> Toda emoción genuina es un fin en sí misma. No es provocada de manera consciente como un medio para conseguir otra cosa. Esto no significa que no podamos o debamos buscar tener ciertos sentimientos. Debemos y podemos. Podemos buscar situaciones [como la adoración comunitaria] donde el sentimiento puede ser encendido más fácilmente… Pero *en el momento de la auténtica emoción, la planificación se desvanece.* Somos transportados (tal vez solamente por unos segundos) por encima de la obra racional de la mente, y experimentamos sentimientos sin referencia a consecuencias lógicas o prácticas[1].

De esta manera, la adoración comunitaria, que en un sentido no es un medio para conseguir otra cosa, es un medio poderoso —de hecho, el más poderoso— de la gracia de Dios para la vida cristiana.

Así que acércate a la adoración comunitaria buscando las muchas bendiciones, y luego deja que la planificación se esfume mientras te sumerges en el Bendito. Acércate en un día tranquilo recordándote a ti mismo lo bien que te hará, y cuando la reunión comienza, persigue con ímpetu la bondad de Dios e intenta olvidarte de ti mismo al enfocarte en su Hijo.

———

1 *Ibíd.*, 92. Énfasis agregado.

Cinco beneficios de la adoración comunitaria

No quiero pasar por alto cuáles podrían ser algunas de esas «gracias y bendiciones» de la adoración comunitaria. Ciertamente podrían mencionarse muchas más, pero aquí hay cinco de esas bendiciones que experimentamos de manera única en el contexto de la adoración comunitaria.

1. DESPERTAR

A menudo venimos a la adoración comunitaria sintiendo una neblina espiritual. Durante los altibajos de la semana, los golpes duros de la vida real en el mundo caído pueden desorientarnos de la realidad superior y de lo que es verdaderamente importante. Necesitamos despejar nuestra mente, volver a calibrar nuestro espíritu, y poner en marcha nuestro corazón aletargado. Anteriormente mencionamos que Martín Lutero consideró que la adoración comunitaria era poderosa para despertar su fuego espiritual: «En casa, en mi propio hogar, no hay intensidad o vigor en mí, pero en la iglesia cuando la multitud se reúne, un fuego se enciende en mi corazón y se abre paso hacia mi interior».

Sin embargo, mejor que la de Lutero es la experiencia del salmista inspirado. En el Salmo 73, comienza con desesperación observando la prosperidad de los malvados (vv. 2-15). Pero la confusión se aclara al acercarse de manera consciente a la presencia de Dios: «Me puse a pensar en esto para entenderlo, pero me resultó un trabajo muy difícil. Sólo cuando entré en el santuario de Dios, pude comprender en lo que ellos van a terminar» (Sal 73:16-17).

Estaba en problemas. La neblina espiritual era densa. Pero la respuesta apareció en el contexto de la adoración, que luego llevó a esta expresión culminante de alabanza: «¿A quién tengo en los cielos? ¡Sólo a ti! ¡Sin ti, no quiero nada aquí en la tierra! Aunque mi cuerpo y mi corazón desfallecen, tú, Dios mío, eres la roca de mi corazón, ¡eres la herencia que para siempre me ha tocado!» (Sal 73:25-26).

He descubierto que esto me ocurrió a mí más veces de las que puedo contar. Cuando nos sentimos espiritualmente apáticos, en vez de mantenernos alejados de la adoración comunitaria, lo que más necesitamos es precisamente el despertar de la adoración. Cuando menos lo siente nuestro corazón es cuando más debemos recordarle a nuestra alma: «¡Qué bueno es estar cerca de [Dios]!» (Sal 73:28).

2. Seguridad

Un segundo beneficio es la dinámica de comunidad, lo que no solo significa satisfacer nuestros buenos deseos de pertenencia y misión conjunta (comunión), sino también proporcionar un catalizador para nuestra seguridad.

Aunque podemos admirar a personajes como Atanasio y Lutero que aparentemente se pararon solos *contra mundum* («contra el mundo»), debemos recordar que Dios ha dicho que no es bueno que estemos solos (Gn 2:18). Tales héroes fueron el producto de tiempos nefastos, e inevitablemente sus experiencias se han ido diluyendo en la memoria colectiva de la historia remota. Ni Atanasio ni Lutero estuvieron realmente solos, sino que eran parte de comunidades fieles que promovían y fortalecían sus creencias que por lo demás eran impopulares.

Y lo mismo ocurre con nosotros. No fuimos creados para resistir solos sin nadie alrededor. Incluso en tiempos tan inquietantes como el de Elías, Dios le dio siete mil personas que no habían abandonado la verdad (1R 19:18). Dios nos creó para la comunidad —y la llamó «la iglesia»—, y ser parte de esta gran comunidad local y global desempeña un importante rol en asegurarnos no solo que no nos estamos engañando a nosotros mismos al pretender que lo que profesamos es creíble, sino también que verdaderamente sabemos en quién hemos creído (2Ti 1:12).

Y la adoración en la iglesia local nos señala a la adoración de la iglesia universal, y al hecho de que Jesús tiene un pueblo de muchas naciones, y que un día incluirá a cada una de ellas (Ap 7:9).

3. CRECIMIENTO

La adoración comunitaria también es una pieza indispensable en nuestra santificación, nuestro crecimiento progresivo en ser conformados a la imagen de Jesús (Ro 8:29). La adoración comunitaria es para edificarnos, exhortarnos y consolarnos unos a otros (1Co 14:3), pero también al contemplar juntos a Jesús, «todos nosotros... somos transformados de gloria en gloria en la misma imagen» (2Co 3:18).

El crecimiento cristiano no es solo algo que recibimos como aplicación de un sermón y luego incorporamos a nuestra vida durante esa semana. Como dice Tim Keller, la santificación puede ocurrir «de inmediato» al recibir la predicación del evangelio e involucrarse en la adoración comunitaria. Hay momentos —que Dios los multiplique— en que el Espíritu Santo toma la Escritura que leímos, la oración que hicimos, el coro que cantamos, y la verdad que fue predicada, y lo lleva directamente al lugar de nuestra necesidad. La adoración comunitaria no solo instruye nuestro caminar cristiano, sino que nos sana y nos transforma en ese momento. Cuando nos unimos a la adoración comunitaria, a Dios le encanta no solo cambiar nuestra mente, sino también cambiar irrevocablemente nuestro corazón en ese momento y lugar.

4. Aceptación del liderazgo de otro

Una distinción importante entre la adoración pública y la «adoración privada» de lectura de la Biblia y oración personal es el lugar de nuestra iniciativa. La adoración comunitaria nos recuerda que nuestra fe es fundamentalmente receptiva, no procede de nuestra propia iniciativa. En las devociones privadas, en algún sentido nos guiamos a nosotros mismos. En la adoración comunitaria, somos llamados a recibir la dirección de otros.

En la adoración privada, en algún sentido tomamos el asiento del conductor. Nosotros decidimos qué pasaje leer, cuándo orar, qué orar, cuánto tiempo detenernos en la lectura y meditación de la Biblia, qué canciones escuchar o cantar, qué verdades del evangelio predicarnos, y qué aplicaciones considerar. Pero en la adoración comunitaria, nosotros respondemos. Seguimos. Otros predican, oran, seleccionan las canciones y eligen cuánto tiempo detenerse en cada sección. Asumimos una postura de recepción.

Tomar esas decisiones en nuestras devociones personales es algo maravilloso, pero también es bueno para nosotros practicar el comprometernos con Dios cuando una persona diferente a nosotros está tomando las decisiones. La adoración comunitaria requiere que nos disciplinemos para responder, y no solo busquemos a Dios en nuestros propios términos. Es una oportunidad para aceptar ser guiados, y no siempre tomar el liderazgo.

5. Gozo acentuado

Por último, pero no menos importante, está la experiencia intensificada de la adoración en el contexto comunitario. Nuestro temor reverencial se acentúa, nuestra adoración se incrementa, nuestro gozo se multiplica cuando adoramos a Jesús *juntos*.

Como dice el proverbio sueco, *un gozo compartido es doble gozo*. En la adoración comunitaria, las «gracias y beneficios» que disfrutamos de manera excepcional no son solo el despertar, la certeza, el crecimiento y la aceptación de liderazgo, sino también el gozo acentuado de una adoración y un temor reverencial más profundos, más enriquecedores y de mayor magnitud, ya que nuestro deleite de Jesús se expande al engrandecerlo junto con otros.

El secreto del gozo en la adoración comunitaria no es solamente el olvido de uno mismo —o para ponerlo de manera positiva, el ocuparse de Jesús y su gloria— sino también el feliz reconocimiento de que no estamos solos satisfaciendo nuestras almas en él.

Capítulo 15

Presta atención a la gracia del púlpito

Pocas prácticas energizarán e influirán en tu vida cristiana como prestar atención a la predicación fiel.

Aunque la adoración comunitaria como un todo puede ser el medio más importante de la gracia de Dios, tal como dijimos en el capítulo 14, escuchar una y otra vez la predicación del evangelio desde las Escrituras es la gracia culminante de ese encuentro. Es en ese momento de la iglesia reunida cuando Dios habla en un monólogo de la forma más clara y completa. Los otros elementos de la reunión siguen el patrón de recibir de él y responderle, pero en la predicación asumimos la postura de simplemente recibir, ya sea media hora o apenas veinte minutos.

La prioridad semanal de la predicación en el servicio de adoración apunta a la importancia de que no solo interactuemos con Dios como amigos y compartamos su mesa como familia, sino que también nos sujetemos a su Palabra en el mensaje de su heraldo, el predicador. Hay mucho tiempo en otros lugares para hacer preguntas y responder, y abundan los momentos para conversar y dialogar. Pero la predicación es esa media hora cada semana cuando la asamblea de los redimidos cierra su boca comunitaria, abre su oído y corazón, y escucha la voz ininterrumpida de su esposo, a través de su portavoz designado, por más falible que pueda ser el mensajero.

La disciplina de la escucha

Pero aun cuando tenemos aproximadamente otras 112 horas despiertos cada semana para hacer otras cosas, discutir, dialogar y debatir, aun así es fácil estar inquietos durante esos treinta minutos. Nos encanta la idea de la igualdad de unos y otros, y estamos acostumbrados a escuchar a nuestra manera. Apreciamos las conversaciones; adoramos el diálogo. Y el diálogo es esencial para el discipulado. La Gran Comisión avanza mediante grandes conversaciones. Hay momentos para interactuar con nuestro Novio, y momentos para que *nosotros* hablemos por mucho tiempo en oración y con canciones. Pero también hay momentos para que nos sentemos y escuchemos en silencio y con atención.

Cuando nos sometemos a la predicación de la Palabra de Dios, es uno de los pocos momentos preciosos en la vida actual cuando cerramos nuestra boca y resistimos la tentación de responder enseguida, y enfocamos nuestra energía y atención para escuchar con fe.

La imagen del amor de Dios en el púlpito

El acto mismo de la predicación es un retrato del evangelio. Cuando el predicador se ubica detrás del Libro, haciendo todo lo posible por mostrar a Jesús nuevamente a su pueblo, nuestro Señor es exhibido, no para que se dé un intercambio y se unan nuestros esfuerzos en algún emprendimiento en conjunto. Más bien, nos ubicamos en el lugar de la debilidad y la urgencia. Lo que necesitamos no es un empujón de un amigo de confianza para poder superar la adversidad, sino el rescate del Salvador para los que están completamente desamparados.

Es por esto que, cuando el mismísimo Hijo de Dios se hizo

carne y sangre y habitó entre nosotros, siendo totalmente uno de nosotros, vino predicando. La grandeza de Dios y la gravedad de nuestro pecado se unen para otorgar a la predicación su lugar esencial. El diálogo interminable, sin una pausa para la predicación, traiciona tanto la tragedia de nuestra situación como la profundidad de la misericordia de Dios.

Por esta razón, Jesús no fue enviado solamente a morir como la solución al problema, sino que también fue enviado a predicar (Lc 4:43). Jesús mismo es la persona a quien las Escrituras se refieren con mayor frecuencia como *la predicación*. Y él envió a sus discípulos a predicar (Mc 3:14). Jesús fue el sumo predicador, pero luego de su ascensión, la predicación no desaparece. Cuando llegamos a Hechos, está más activa que nunca. La predicación del Novio se extiende a la vida de la iglesia.

La centralidad de Jesús

Jesús no solo exhibió la importancia de la predicación en su vida, sino que él es el punto central de toda la predicación fiel en la iglesia. Así como nuestro enfoque en conjunto en la totalidad de la adoración comunitaria es el Cristo crucificado y resucitado y las incomparables excelencias de su persona y su obra, de igual manera él es el enfoque de nuestra predicación.

La mejor predicación provee al adorador el gozo de olvidarse de sí mismo, y de olvidarse del predicador. La predicación que no para de hablar acerca del predicador mismo, o siempre está apuntando a cómo el oyente debería aplicar esto o aquello a su vida diaria, lo hace a expensas de aprovechar el mismísimo poder de la predicación, a saber, la centralidad de Jesús. La verdadera predicación cristiana absorbe al oyente una y otra vez no consigo mismo ni con el predicador, sino con Jesús y sus múltiples perfecciones.

Hay un espacio para que el predicador se exponga a sí mismo, y para aclarar las conexiones con la aplicación práctica, pero no a expensas de Jesús y su evangelio como el crescendo y punto culminante del sermón. Las aguas de la buena predicación siempre descienden hacia el río de Cristo, quién es él y cómo nos ha amado.

Presente en su iglesia

Pero la predicación no se trata solamente de Jesús; es su manera de estar personalmente presente en su iglesia. La buena predicación trae a la iglesia a un encuentro con su Novio mediante el Espíritu Santo. Como escribe Jason Meyer: «El ministerio del predicador de la Escritura es ser mayordomo y mensajero de la Palabra de Dios de tal manera que la gente *encuentre a Dios mediante su Palabra*»[1]. En la predicación fiel cristiana, no solo escuchamos acerca de Jesús, sino que nos encontramos con él.

La predicación no solo comunica verdades *acerca* de Dios, sino que cumple la función de «transmitir la mismísima presencia *de* Dios». No debe ser apreciada simplemente por su perspicacia exegética, sino «por su rol como un medio a través del cual Dios habla verdaderamente y en el cual Cristo está realmente presente»[2]. Aunque la predicación técnicamente no ha sido llamada una «ordenanza» o un «sacramento» (como el bautismo y la Cena del Señor; que serán más desarrollados en los próximos dos capítulos), su poder es *sacramental*. Es un medio designado por Dios para comunicar su gracia a la iglesia mediante el canal de nuestra fe, con el beneficio principal de ser un encuentro con Jesús mismo.

Experimenta el gozo

La meta de la predicación, como lo entiende Juan Calvino, es «ofrecernos y exhibirnos a Cristo, y en él los tesoros de la gracia

---

1 *Preaching: A Biblical Theology* (Wheaton, IL: Crossway, 2013), 21.
2 Marcus Peter Johnson, *One with Christ: An Evangelical Theology of Salvation* (Wheaton, IL: Crossway, 2013), 220

celestial»[3]. Marcus Peter Johnson dice que, en la predicación de la Palabra de Dios, «Dios mismo habla y se hace presente mediante su Hijo en el poder del Espíritu para bendecirnos y nutrirnos»[4].

El gran objetivo de la predicación, así como de los sacramentos y nuestros demás variados hábitos de gracia, como hemos visto, es *conocer y disfrutar a Jesús*. El mayor incentivo para escuchar atentamente al reunirnos para la adoración comunitaria y recibir la predicación de la Palabra de Dios es *que podamos conocerlo* (Fil 3:10).

Aquí saboreamos la vida eterna durante treinta minutos por semana en la más alta meta de la predicación cristiana: que conozcamos al único Dios verdadero, y a Jesucristo, a quien ha enviado (Jn 17:3).

═══════

Cinco bendiciones de la predicación fiel

Para abrir tu apetito de manera precisa para el próximo domingo, aquí hay cinco bendiciones específicas —entre muchas otras, de las cuales algunas ya quedaron claras en este capítulo y algunas son nuevas—, del hecho de escuchar con fe la predicación fiel de la Palabra de Dios.

1. OLVIDARSE DE UNO MISMO

Una de las grandes bendiciones de la buena predicación es que nos ayuda en el acto vivificador de la abnegación. La predicación fiel expone nuestro pecado y nos desafía a cambiar, pero lo hace en las estrofas, mientras que el coro nos llama a desenfocarnos de nosotros mismos y enfocarnos en el Salvador. Es algo glorioso para nuestra alma ser liberados de nuestra preocupación

---

3 Juan Calvino, *Institución de la religion cristiana*, 4.14.17.
4 Johnson, *One with Christ*, 221.

egocéntrica habitual, aún si solo es por unos pocos momentos en el punto culminante del sermón, mientras somos cautivados por Cristo.

2. Recargar nuestra fe

La predicación fiel recarga nuestra fe. La renovación personal y el estado de permanente crecimiento no surge de darnos a nosotros mismos una arenga motivacional sino de recibir con regularidad la predicación del evangelio. Simplemente no tenemos los recursos en nosotros mismos. Necesitamos una palabra externa. «La fe proviene del oír, y el oír proviene de la palabra de Dios» (Ro 10:17).

Nuestra alma se fortalece por la predicación del evangelio, como Pablo ora en su doxología al final de Romanos: «Y al que puede fortalecerlos conforme a mi evangelio y a la predicación de Jesucristo...» (16:25). El mensaje de la cruz es una locura para los que se pierden, pero es la sabiduría de Dios para los que creen, y poder para la vida cristiana (1Co 1:18-24). Y de acuerdo con 1 Corintios 15:1-2, la predicación del evangelio no es solo lo que hemos recibido en el pasado para llegar a ser cristianos, sino que es esa gracia en la que seguimos firmes en el presente, y por la cual al final seremos salvos, si continuamos recibiendo y reteniendo este evangelio. La predicación continua del evangelio es algo vital para la vida continua de la fe.

3. Crecer en gracia

Cuando escuchamos con atención la predicación fiel del evangelio, no solamente nos olvidamos de nosotros mismos y recargamos nuestra fe, sino que somos genuinamente transformados. El evangelio que predicamos es el aroma fragante de vida que lleva a la vida, o de muerte que lleva a la muerte (2Co 2:15-16). Crecemos o nos marchitamos. Nuestro corazón está cálido o frío. Nos ablandamos o nos endurecemos. No hay neutralidad cuando resuena la predicación.

Tal como señalamos en el capítulo anterior, Tim Keller lo llama «santificación inmediata». La principal forma en que la predicación nos transforma no es dándonos puntos de aplicación para tomar del sermón y enfrentar como un listado de tareas para la semana entrante. Más bien, al escuchar con fe y contemplar la gloria de Cristo en nuestra alma, «somos transformados de gloria en gloria en la misma imagen» (2Co 3:18).

Es por esto que es tan esencial que la predicación no se centre en el predicador o en los oyentes, sino en Jesús. El verdadero poder para la transformación se encuentra solamente en el hecho de percibirlo a él. Nuestra fe es fortalecida y renovada solamente a través de él y su evangelio. Y nuestra alma encuentra verdadera satisfacción solamente al conocerlo y disfrutarlo a él.

4. SER CAPACITADOS

Si bien la capacitación no es la meta principal, es un gran beneficio de la predicación fiel. Dios dio «pastores y maestros, a fin de perfeccionar a los santos para la obra del ministerio, para la edificación del cuerpo de Cristo» (Ef 4:11-12). Un aspecto importante de la adoración comunitaria es la edificación de la iglesia. «Procuren abundar en ellos para la edificación de la iglesia» (1Co 14:12). «Todo deben hacerlo para la edificación» (1Co 14:26).

Ya que la buena predicación es fiel a la Biblia, y la Biblia es la fuente más importante para edificar la iglesia y preparar a los santos para el ministerio, la buena predicación será de edificación. No es su objetivo principal, pero es una gran consecuencia.

5. Encontrarnos con Jesús

Por último, y lo más importante, el beneficio principal de la predicación fiel es encontrarse con Jesús mismo, y disfrutar de él, escuchando y recibiendo su Palabra. Como dijo Martín Lutero: «Predicar el evangelio no es otra cosa que Cristo viniendo a nosotros o llevándonos hacia él»[1].

La buena predicación nos ayuda no solo a olvidarnos de nosotros mismos, sino a volver nuestra mirada hacia el Dios-hombre, que es el único que puede satisfacer nuestra alma. En la predicación fiel, nos encontramos con Jesús, y su presencia nos es concedida mediante su Palabra. La mayor bendición de la predicación es encontrarse con Cristo, conocerlo, adorarlo y disfrutar de él como nuestro mayor tesoro.

Esto cambiará significativamente nuestra perspectiva y experiencia de la predicación. ¿Qué pasaría si la próxima vez vinieras al culto de adoración no solo esperando escuchar a algún predicador, sino esperando encontrarte con Jesús?

---

1 Citado en John C. Clark y Marcus Peter Johnson, *The Incarnation of God* (Wheaton, IL: Crossway, 2015), 192.

Capítulo 16

Purifícate otra vez en las aguas

===

Palabras visibles. Ese era el término protestante para el bautismo y la Cena del Señor en los tiempos posteriores a la Reforma. Como complemento de la comunicación oral de la predicación del evangelio, estos dos hábitos de la iglesia reunida son *dramatizaciones* de la gracia de Dios. Estas «palabras visibles» nos expresan el centro de nuestra fe a través de las imágenes y acciones dadas por Dios del lavamiento, el comer y el beber. Estas prácticas involucran no solo nuestros oídos, sino los cinco sentidos: oído, vista, tacto, olfato y gusto. Junto con la predicación, estas prácticas nos revelan una y otra vez el corazón del evangelio que profesamos y que pretende hacer resonar en nuestra vida. Son «señales» actuadas, que apuntan a realidades que van más allá de nosotros mismos.

Pero estas ordenanzas no son solo señales, sino también «sellos». Nos confirman no solo que Dios ha hecho algo salvífico por la humanidad en general, sino que su gracia salvífica ha venido a mí en particular. El evangelio no es verdad solo para el mundo, sino específicamente *para mí*. Y el hecho de que una iglesia que cree en la Biblia y atesora el evangelio me ofrezca ese sello, porque consideran que mi fe es sincera, puede ser un grandioso fundamento de certeza de que yo mismo estoy incluido en el pueblo redimido de Cristo.

De esta manera, el bautismo y la Cena del Señor sirven para distinguirnos como la iglesia, a diferencia del mundo no creyente, y son parte de lo que significa que el nuevo pacto sea un *pacto*, con actos tanto de iniciación como de comunión continua, de inauguración y de renovación.

Los sacramentos como medios de gracia

Como señala el teólogo John Frame, las ordenanzas no son solo señales y sellos, sino que (al igual que la predicación) sirven para acercar la presencia de Dios a su pueblo[2]. Pablo dice en 1 Corintios 10:16 que el pan y la copa son «la comunión» en el cuerpo y la sangre de Jesús. Estos renuevan y fortalecen nuestro sentido de estar unidos por fe al Cristo resucitado. Como los otros medios de gracia, no son automáticos, pero operan a través del poder del Espíritu Santo *por fe*. Aquellos que participan con fe crecen en gracia —como lo hacemos mediante la predicación de la Palabra de Dios— mientras que aquellos que participan sin fe llaman el juicio (1Co 11:27–30)[3].

Estas prácticas no son, como algunos han enseñado desde la Reforma, *solo* señales o *meros* símbolos —ni tampoco «obran»

---

2 Frame, *Systematic Theology* (Phillipsburg, NJ: P&R, 2013), 1060.

3 Yo soy cristiano bautista (en minúscula a propósito), y encuentro que esta verdad es la causa para evitar que personas sin una profesión creíble de fe participen en los sacramentos. No solo negaría la Cena del Señor a alguien que no confiesa fe en Jesús, sino también el bautismo. Sin embargo, el debate entre los evangélicos que bautizan solo a creyentes profesos (credo-bautistas) y aquellos que también bautizan a los hijos de los creyentes (paido-bautistas) es antiguo, y no tengo la ilusión de darle una conclusión aquí. Creo que muchos de los beneficios del bautismo como un medio de gracia son relevantes tanto para los credo-bautistas como para los paido-bautistas, especialmente, como lo debatiremos más adelante, con respecto a «aprovecharnos» de nuestro bautismo. Sin embargo, debería agregar que tener una experiencia consciente del propio bautismo, y ser capaz de recordar ese bautismo, no solo es esencial para experimentar el propio bautismo como un medio de gracia, sino también una gran ventaja al intentar «aprovechar» nuestro bautismo mediante la observación en fe del bautismo de otros. Agregaremos más sobre este tema más adelante.

separados de la fe, como algunas ramas principales de la iglesia han sostenido. Más bien, las dos ordenanzas son medios de la gracia de Dios: Cristo instituyó canales del poder de Dios, entregados por el Espíritu de Dios, que dependen de la *fe* cristiana de los que participan, dados para el contexto comunitario de la iglesia reunida. Para muchos, la Cena del Señor es de manera más evidente un medio continuo de gracia (regresaremos a la Mesa en el próximo capítulo), ¿pero qué ocurre con el bautismo?

La gracia en el agua

El bautismo señala la iniciación en el nuevo pacto. Debe aplicarse solo una vez, a un creyente considerado por la congregación local como alguien que tiene una profesión creíble de fe, a modo de aceptación en la comunión total de la iglesia visible. La representación del evangelio experimentada y exhibida en el bautismo corresponde a las bendiciones de la conversión en la vida cristiana cuando aceptamos por primera vez el evangelio: el perdón inicial y el lavamiento del pecado, la fe y el arrepentimiento, la nueva vida del nuevo nacimiento, todo esto y más en unión con Cristo (Ro 6:3-5).

El bautismo no es solo un acto de obediencia al mandamiento de Cristo, y un testimonio vivo de la fe en Jesús por parte del candidato frente a todos los testigos, sino que también sirve como un medio de gozo para el que está siendo bautizado. No solo es una confirmación valiosa por parte de la iglesia visible de que hemos nacido de nuevo, sino que es una experiencia única y singular de la gracia del evangelio representada para quien recibe el agua, al ser simbólicamente sepultados con Jesús en la muerte y resucitados para vivir una nueva vida (Ro 6:4).

Aprovecha tu bautismo

El bautismo no es un medio de gracia solo para el que está recibiendo el bautismo en esa ocasión en particular, sino también para todos los creyentes que observan ese bautismo con fe. Esto es algo importante para el cristiano, pero a menudo lo pasamos por alto. El Catecismo Mayor de Westminster (pregunta 167) lo llama «aprovecharnos de nuestro bautismo». Su profunda declaración merece una lectura lenta:

> El deber indispensable, pero muchas veces descuidado, de aprovecharnos de nuestro bautismo debe ser cumplido por nosotros toda nuestra vida, especialmente en el tiempo de la tentación, y cuando estamos presentes en la administración del bautismo a otros, con una consideración seria y llena de gratitud por su naturaleza y de los fines para los cuales Cristo lo instituyó, los privilegios y beneficios conferidos y sellados por medio de él, y del voto solemne que hicimos; siendo humildes por nuestras debilidades pecaminosas, por nuestra falta de cumplimiento, por andar por el camino contrario a la gracia del bautismo y de nuestras promesas; creciendo en la seguridad del perdón del pecado, y de todas las otras bendiciones selladas en nosotros por este sacramento; recibiendo fuerza de la muerte y resurrección de Cristo, en quien somos bautizados, para la mortificación de la carne y el avivamiento de la gracia; y esforzándonos para vivir por la fe, para tener conversaciones en santidad y justicia, como aquellos que han entregado su nombre a Cristo, y andan en amor fraternal, siendo bautizados por el mismo Espíritu en un cuerpo.

Esa es una oración larga y complicada, pero el resumen es este: el bautismo no es solo una bendición para nosotros en esa única ocasión memorable cuando ocupamos el lugar de nuevo creyente en el agua. También se vuelve una representación del evangelio para el observador y un medio de gracia a lo largo de nuestra vida cristiana al observar, con fe, el bautismo de otras personas y renovar en nuestra alma las riquezas de la realidad de nuestra identidad en Cristo representada en nuestro propio bautismo (Ro 6:3-4; Gá 3:27; Col 2:12). Wayne Grudem escribe:

> Cuando hay una fe genuina de parte de la persona que está siendo bautizada, y donde la fe de la iglesia que observa el bautismo es estimulada y alentada por esta ceremonia, entonces el Espíritu Santo ciertamente obra a través del bautismo, y se vuelve un «medio de gracia» mediante el cual el Espíritu Santo trae bendición a la persona que está siendo bautizada y también a la iglesia[4].

Observa con fe, purifica tu alma

Entonces, cuando tu iglesia agita las aguas, no te quedes de brazos cruzados esperando que se termine esta interrupción para poder continuar con el resto del culto. No necesitas rebautizarte para experimentar nuevamente la gracia de esta representación.

Más bien, con los ojos de la fe, observa el evangelio exhibido en las aguas. Observa la predicación del sacrificio de Cristo representado para ti, y escucha la música de tu propia vida nueva cuando el nuevo creyente es sepultado y resucitado en Jesús. Mantén tus ojos en las aguas, y en el testigo. Observa con fe, y purifica tu alma otra vez en la buena noticia de estar unido a Jesús.

---

4 *Systematic Theology: An Introduction to Biblical Doctrine* (Grand Rapids, MI: Zondervan, 1995), 954. Existe versión en español.

Capítulo 17

Crece en gracia en la mesa de comunión

———

La Cena del Señor es un banquete extraordinario. Sin lugar a duda, se trata simplemente de un medio ordinario de la gracia de Dios para su iglesia, e incluye simplemente pan y vino ordinarios. No obstante, en tanto que se come y se bebe, puede ser una experiencia excepcionalmente poderosa.

Junto con el bautismo, la Cena es uno de los dos sacramentos especialmente instituidos por Jesús como señal, sello y fortalecimiento de su pueblo del nuevo pacto. Llámalos ordenanzas si prefieres. La cuestión principal no es el término que usemos, sino lo que significa, y si administramos estos dos medios de la gracia de Dios como lo manda Jesús, para guiar y moldear la vida de la iglesia en su nuevo pacto con su novio prometido.

Como hemos dicho una y otra vez, los medios de gracia son los distintos canales que Dios ha designado para proveer regularmente poder espiritual a su iglesia. Los principios claves de los medios de gracia son la voz de Jesús (palabra), su oído (oración), y su cuerpo (iglesia). Entonces, las diversas disciplinas y prácticas —nuestros hábitos de gracia— son formas de *escu-charlo (su palabra) y responderle (en oración), en el contexto de su pueblo (la iglesia).*

Moldeados y sostenidos por estos principios, brotan mil flores de aplicación práctica en la vida de la comunidad del nuevo pacto. Pero pocas prácticas, si es que hay alguna, reúnen los tres principios de gracia como la predicación de la Palabra de Dios, y la celebración de los sacramentos, en el contexto de la adoración comunitaria. Por tanto, aquí hay cuatro aspectos de la Cena del Señor para considerar al contemplarla como un medio de gracia.

La gravedad del asunto: bendición o juicio

Una de las primeras cosas que debemos notar es que la Cena del Señor no se debe tomar a la ligera. Administrar los elementos «de manera indigna» es la razón que Pablo le da a los corintios para el hecho de que «hay entre ustedes muchos enfermos y debilitados, y muchos han muerto» (1Co 11:27-30).

Muchas cosas están en juego cuando la iglesia se reúne alrededor de la Mesa de su Señor. La bendición y el juicio están en la balanza. Al igual que con la predicación, y los otros medios de gracia, no existe aquí la neutralidad. Nuestro evangelio es «el fragante aroma de Cristo, tanto en los que se salvan como en los que se pierden. Para éstos somos olor de muerte, que lleva a la muerte, y para aquéllos somos olor de vida que lleva a la vida» (2Co 2:15-16). De igual manera el «sermón visible» de la Cena del Señor nos lleva de la vida hacia la vida, o de la muerte hacia la muerte. La Mesa no nos dejará indiferentes, sino que nos llevará más cerca de nuestro Salvador o nos endurecerá más. Esto nos lleva a un segundo aspecto.

El pasado: repaso del Evangelio

Al instituir la Cena del Señor, Jesús instruyó a sus discípulos: «Hagan esto en memoria de mí» (Lc 22:19), y Pablo aplica dos veces la frase «en memoria de mí» a sus instrucciones para la iglesia (1Co 11:24-25).

La Cena del Señor es nada menos que un banquete conmemorativo que nos lleva nuevamente al pacto sellado en el Calvario con el sacrificio de Cristo en el que se entregó por nosotros. Junto con el bautismo, el matrimonio y un buen funeral cristiano, la Mesa del Señor le ofrece a la vida de la iglesia un hábito formal de recordar y repasar aquello que es de mayor importancia (1Co 15:3), el evangelio de la obra salvífica de Cristo por nosotros. La Cena del Señor ayuda a implantar la centralidad del evangelio en la compañía de los redimidos[1].

Al igual que el bautismo, la Cena del Señor nos da una representación divinamente autorizada del evangelio, cuando el cristiano recibe espiritualmente —mediante los sentidos físicos del gusto, la vista, el olfato y el tacto— el cuerpo quebrantado de Jesús y su sangre derramada por los pecadores. La Mesa es un acto de renovación del nuevo pacto, un rito repetido de comunión permanente y perseverancia continua en nuestra aceptación del evangelio. Nos ayuda a retener «la palabra» (1Co 15:2) y a permanecer «cimentados y firmes en la fe, inamovibles en la esperanza del evangelio» (Col. 1:23).

---

1 Los casamientos y los funerales pueden ser considerados como medios de la gracia de Dios cuando son abordados con fe. En el casamiento, vemos la descripción del pacto entre Cristo y su iglesia. En un funeral, la muerte de la persona que está siendo honrada nos recuerda no solo que nuestra vida es como la neblina (Stg 4:14), sino que también nos recuerda nuestra propia finitud, las consecuencias del pecado y la venida final de Cristo victoriosa sobre el pecado y la muerte (1Co 15:54-58). La iglesia protestante (correctamente) no los ha considerado como sacramentos u ordenanzas; sin embargo, son recordatorios útiles del evangelio y pueden servir como medios de gracia para los que tienen fe.

El presente: proclamación de su muerte

La Mesa, entonces, es más que una simple conmemoración. Este gran recuerdo del sacrificio de Jesús, y la recepción de los elementos en fe, conllevan una proclamación presente de su muerte y su significado. «Siempre que coman este pan, y beban esta copa, *proclaman la muerte del Señor*, hasta que él venga» (1Co 11:26). Este sermón visible, al igual que la predicación audible, «puede fortalecerlos» conforme al evangelio (Ro 16:25) como un medio de gracia para aquellos que observan y participan en fe. Aquel que participa sin fe es «culpado del cuerpo y de la sangre del Señor» (1Co 11:27) y come y bebe para su propio castigo (1Co 11:29), mientras que «aquellos que comen y beben de manera digna participan del cuerpo y la sangre de Cristo, no físicamente, sino espiritualmente, en que, por fe, son nutridos con los beneficios que él obtuvo mediante su muerte y así crecen en la fe»[2].

De esta manera, la Cena del Señor es un camino poderoso para profundizar y sostener la vida cristiana. «La participación en la Cena del Señor», escribe Wayne Grudem, es

> muy claramente un medio de gracia que el Espíritu Santo usa para traer bendición a su iglesia... Deberíamos esperar que el Señor nos dé una bendición espiritual cuando participamos de la Cena del Señor en fe y en obediencia a las directivas establecidas en la Escritura, y de esta manera es un «medio de gracia» que el Espíritu Santo usa para concedernos una bendición...
>
> Hay una unión espiritual entre los creyentes y con el Señor que es fortalecida y consolidada en la Cena del Señor, y no se debe tomar a la ligera[3].

---

2 Afirmación de fe en Desiring God, 12.4, disponible en http:// www .desiringgod .org /about/ affirmation -of -faith.
3 *Systematic Theology: An Introduction to Biblical Doctrine* (Grand Rapids, MI: Zondervan, 1995), 954–55.

El futuro: a la espera del banquete

Como lo declara la Confesión de Fe de Westminster, la Mesa, recibida con fe, es para nuestra «nutrición espiritual y crecimiento en él»[4]. No solo fortalece nuestra unión con Jesús, sino también nuestra comunión con los demás creyentes en Cristo. Al venir juntos a la Cena para alimentarnos espiritualmente de Cristo (Jn 6:53-58), él nos acerca no solo hacia sí mismo, sino también hacia otros en el cuerpo (1Co 10:17).

Aquí en la Mesa, escuchamos la voz de Jesús, hablamos al oído del Salvador, y nos conectamos con él y con otros en su cuerpo. Recibimos nuevamente el evangelio, respondemos con fe, y unimos nuestros corazones en el pan y la copa que compartimos. Al hacerlo, no miramos solo hacia el pasado recordando lo que ha ocurrido, ni tampoco solo al presente y nuestra creciente unión con él, sino también hacia el futuro y todo el banquete venidero en la gran cena de sus bodas (Ap 19:9). «Siempre que coman este pan, y beban esta copa, proclaman la muerte del Señor, hasta que él venga» (1Co 11:26).

«Solamente comemos pequeñas porciones de pan y bebemos pequeñas copas de vino», dice John Frame, «porque sabemos que nuestra comunión con Cristo en esta vida no puede comenzar a compararse con la gloria que nos espera en él»[5].

---

4 Confesión de Fe de Westminster, 29.1.
5 *Systematic Theology* (Phillipsburg, NJ: P&R, 2013), 1069.

Capítulo 18

Acepta la bendición
de la reprensión

———

Una de las cosas más amorosas que podemos hacer unos por otros en la iglesia es advertirnos cuando estamos equivocados. Llámalo corregir, redargüir o reprender —Pablo usa los tres términos en solo cuatro versículos en 2 Timoteo 3:16-4:2— pero no pases por alto lo que lo hace distintivamente cristiano, y un don para nuestra alma: *es un gran acto de amor*. El tipo de reprensión que las Escrituras encomiendan es aquel que intenta que dejemos de avanzar por un camino destructivo.

Hay por lo menos dos participantes en una reprensión que resulta útil como un medio de la gracia de Dios para nuestra alma. Uno es el dador; el otro es el receptor. En este capítulo, nos enfocamos primero en recibir una reprensión de un hermano como una gracia de Dios; luego observamos lo que significa ser un medio de la gracia de Dios reprendiendo a otra persona con humildad y amor.

El punto decisivo de la sabiduría

La reprensión es una encrucijada en el camino de un alma pecadora. ¿Mostraremos rechazo frente a la corrección como si fuera una maldición, o aceptaremos la reprimenda como una bendición? Uno de los grandes temas en Proverbios es que aquellos que aceptan la corrección son sabios y avanzan por el camino de la vida, mientras que aquellos que desprecian la reprensión se consideran como insensatos deslizándose hacia la muerte.

Las advertencias de Proverbios en contra del hecho de descartar la corrección del hermano son impactantes. Quien desecha la reprensión pierde el camino (Pr 10:17), es ignorante (12:1) y necio (15:5), y no se aprecia a sí mismo (15:32). «Aborrecer [la corrección] conduce a la muerte» (15:10), y «quien desdeña el consejo acaba pobre y avergonzado» (13:18).

Pero igualmente impactantes son las promesas de bendición para quienes aceptan la reprensión. «Quien acepta la corrección es objeto de honra» (Pr 13:18) y «alcanza la prudencia» (15:5). «Obedecer la corrección es poseer entendimiento» (15:32), «el que ama la corrección ama la sabiduría» (12:1), «convivirá con los sabios» (15:31), y «acatar la corrección conduce a la vida» (10:17); porque «la vara y la corrección imparten sabiduría» (29:15) y «las reprensiones son el camino de la vida» (6:23).

A quienes aceptan la reprensión, Dios les dice: «Yo derramaré mi espíritu sobre ustedes» (Pr 1:23), pero a quienes la desprecian, les dice: «Yo me burlaré de ustedes cuando les sobrevenga la temida calamidad» (1:25-26). Acerca de quienes rechazan la corrección se dirá: «Comerán los frutos de sus andanzas y se hartarán con sus propios consejos» (1:30-31), y es solo cuestión de tiempo hasta que ellos mismos digan: «¡Poco me faltó para estar del todo mal!» (5:12-14).

Y cuando la ruina le llegue al necio que resiste la reprensión, será algo repentino y devastador: «El que se empecina ante la reprensión acabará en la ruina pronto y sin remedio» (Pr 29:1).

Abre el obsequio

Los sabios reconocen la reprensión como una joya de oro (Pr 25:12). Es un acto de misericordia y una muestra de amor. «Que el justo me hiera con bondad y me reprenda; es aceite sobre la cabeza; no lo rechace mi cabeza» (Sal 141:5, LBLA). Generalmente es más fácil para otras personas a nuestro alrededor no decir nada, sino dejarnos avanzar felices por nuestro camino de la insensatez y la muerte. Pero la reprensión es un acto de amor, es estar dispuesto a enfrentar ese momento incómodo, y que tal vez tu consejo te llegue de vuelta a la cara, asumiendo el riesgo de hacerle un bien a alguien. Cuando un cónyuge, un amigo, un familiar, o un socio llega a demostrar ese nivel de amor, deberíamos estar profundamente agradecidos.

Escucha la voz de Dios en la voz de tu hermano

Aquellos de nosotros que tenemos en Cristo «todos los tesoros de la sabiduría y del conocimiento» (Col 2:3), y estamos lúcidos, querremos atender al consejo y aceptar la corrección para llegar a ser sabios (Pr 19:20). No es que simplemente vamos a tolerar que un hermano o hermana nos diga algo sobre nuestra vida en alguna ocasión excepcional, sino que los invitaremos a hacerlo; y cuando lo hagan, lo recibiremos como una bendición. Aun cuando sea una reprensión mal realizada, y no sea en el tiempo y el tono correcto, y la motivación parezca sospechosa, querremos rebuscar en ella cualquier grano de verdad, y luego arrepentirnos y agradecer a Dios por la gracia de tener personas a nuestro alrededor que nos aman lo suficiente como para decirnos algo difícil.

No queriendo desdeñar la corrección del Señor ni sentirnos

mal cuando él nos reprenda (Pr 3:11), preguntaremos: *¿cómo me llega con mayor frecuencia la reprensión de Dios?* Respuesta: en la reprensión de parte de un hermano o una hermana en Cristo. Tendremos cuidado de resistir la reprensión de otro creyente en Jesús, especialmente cuando resuena en múltiples voces, sabiendo que probablemente estaríamos resistiendo la mismísima reprensión de Dios.

Cuando un hermano o una hermana en Cristo acepta el inconveniente de tener una conversación desagradable que trae corrección a nuestra vida, deberíamos estar colmados de agradecimiento. «El Señor corrige al que ama como lo hace el padre con su hijo amado» (Pr 3:12). Considera la reprensión como amor de tu hermano, y como el canal del amor de Dios por ti.

Es más fácil decirlo que hacerlo

Pero, por supuesto, del dicho al hecho hay mucho trecho. Muy profundo en las cuevas de nuestro pecado remanente, donde podemos estar más endurecidos a la verdadera gracia en sus variadas formas, no queremos escuchar la corrección. Algo rebelde en nuestro interior se repliega.

Cuando escuchamos que «toda la Escritura es inspirada por Dios, y útil», es natural estar más entusiasmados por el hecho de que sea «para enseñar» y «para instruir en justicia» que «para redargüir» y «para corregir» (2Ti 3:16). Eso es demasiado personal. Nos toca un punto sensible.

Y las fuerzas externas tampoco lo hacen fácil. No debería sorprendernos que el aire que respiramos en la sociedad en general es hostil a la corrección y la reprensión, aún en su expresión más gentil y amable. Si la humanidad no reconoce estar depravada en su naturaleza y ser pecaminosa en su práctica, entonces la reprensión ya no es un salvavidas sino un fastidio, e incluso una ofensa. Pero si reconocemos que somos imperfectos, egoístas y arrogantes y que pecamos habitualmente con nuestras palabras y con nuestras acciones, entonces aprenderemos a considerar la reprensión de un hermano como la formidable gracia que es.

Libera el poder

Pero por más que el recibir una reprensión vaya en contra de nuestros instintos naturales o nos tome por sorpresa, tenemos esta gran esperanza en la cual crecer: el amor de Cristo por nosotros es nuestra llave para liberar el poder de la reprensión. Al considerarlo a él, a aquel que «me amó y se entregó a sí mismo por mí» (Gá 2:20), la reprensión ya no necesita ser un ataque contra nuestros fundamentos y contra el profundo sentido de nuestro valor, sino que se vuelve una nueva oportunidad para crecer y para tener mayor gozo.

Es otra gracia del evangelio el hecho de que por el Espíritu podamos desarrollar la suficiente fortaleza para escuchar cualquier reprensión como un camino que nos lleva incluso a una mayor gracia. Es el evangelio el que nos concede los recursos para aceptar la reprensión y recibir de su abundancia. Solo en Jesús podemos ver nuestra identidad, no como si no tuviera defectos, sino recibiendo el amor de Dios aun siendo pecadores, repletos de defectos (Ro 5:8). Con un Salvador así que afirma nuestros pies, podemos aceptar la reprensión como una bendición.

Concede a otros la bendición de la reprensión

La reprensión es una bendición que requiere de dos personas. El amor nos obliga no solo a querer recibir una reprensión con una identidad evangélica, sino también a ofrecer el regalo a otros. Una de las cosas más amables que podemos hacer por otros es decirles cuando están equivocados.

Aunque ya es bastante difícil aceptar la bendición de la reprensión cuando uno es el receptor de alguna palabra de corrección, puede ser incluso más difícil iniciar ese momento incómodo y sobrellevarlo, amando a alguien lo suficiente como para llamarle la atención. D. A. Carson dice: «Si es difícil aceptar una represión, incluso en privado, es aún más difícil administrarla con humildad y amor»[1].

Pero por muy difícil que pueda ser, si realmente creemos que somos todos pecadores y que el pecado desenfrenado lleva al dolor, la miseria y la destrucción eterna, el amor nos obligará a conceder el regalo de la represión con amor. Entonces, en el espíritu de intentar proveer una represión en humildad y amor, aquí hay siete pasos que nos llevan a la corrección verdaderamente cristiana.

1. Verifica primero tu propio corazón

Las palabras de Jesús son un buen lugar para comenzar. Con frecuencia las sutiles expresiones de pecado que vemos en otro captan nuestra mirada porque hacen eco en nuestro propio corazón. Nuestro orgullo interno es rápido para alertarnos sobre el orgullo en otros. La codicia no dominada en nuestro corazón reconoce en otros el amor por las posesiones. Un desliz de la lengua al cual nosotros también somos propensos capta nuestra atención en otra persona.

Así que un primer paso al encontrar un pecado en otros es seguir la clara directiva de Jesús: «Saca primero la viga de tu propio ojo, y entonces verás bien para sacar la paja del ojo de tu hermano» (Mt 7:5). Y recuerda la exhortación de Gálatas 6:1 cuando ayudas a restaurar a un hermano: «Piensa en ti mismo, no sea que también tú seas tentado».

¿Entonces qué hacemos cuando vemos que la paja del pecado de otra persona también está en nosotros? ¿Eso quiere decir que ha pasado la oportunidad de ayudar a un hermano, porque tenemos suficiente trabajo que hacer nosotros mismos?

---

1 *Matthew*, ed. rev. The Expositor's Bible Commentary, (Grand Rapids, MI: Zondervan, 2010), 456.

Es posible. Esperemos que no. Antes de acercarte a él para hablar de su pecado, renueva tu propio arrepentimiento en tus tendencias hacia la misma tentación, y luego ve a tu hermano con una nueva humildad y empatía, como un compañero de batalla contra ese pecado.

2. Intenta empatizar

Ya sea que te haya pasado a ti y puedas empatizar con el pecado específico del otro o no, ora por empatía e intenta ocuparte de lo que podríamos llamar la regla de oro de la reprensión: «Todo lo que quieran que la gente haga con ustedes, eso mismo hagan ustedes con ellos» (Mt 7:12).

Por un lado, esto debería confirmar que al observar algo que requiere corrección en un hermano, la acción de amor no es dejarlo pasar sino llamar su atención. ¿No es eso lo que también esperaría tu lado más santificado? Y, por otro lado, eso nos lleva a hacerlo con una cierta postura y conducta –lo que Carson llama «con humildad y amor».

Tanto como sea posible, ponte en sus zapatos, y considera cómo recordarles las verdades fundacionales del evangelio al intentar abrir sus ojos a alguna realidad que va más allá de su pecado remanente. Piensa en la manera en que te gustaría que alguien te hablara con una observación así, y dedícale un esfuerzo adicional para asegurarte de que suene como una palabra de corrección fraternal, y no como una condena. «Sobrelleven los unos las cargas de los otros, y cumplan así la ley de Cristo» (Gá 6:2).

3. Ora por restauración

Habiendo revisado tu propio ojo y habiendo buscado empatía, ora por la otra persona antes de confrontarla. Ora por el momento en que le hablarás, para que puedas darle a tu palabra de corrección el suficiente preámbulo del evangelio, para que pueda recibir tu reprensión de amor, y que si la resiste en ese momento, Dios pronto suavice su corazón en la medida que tu observación sea cierta. Ora también para que tengas valentía de amor para sostener amablemente tu postura y no retroceder inmediatamente si te replican o si su abogado defensor interior te objeta inmediatamente.

Ora y habla con miras a la restauración, no simplemente corrigiendo lo que está mal y apaciguando tu propio sentimiento crítico. Ya sea que se trate del proceso formal de Mateo 18:15-17 en respuesta a algún error o tropiezo grave, o la corrección bíblica informal cotidiana de Hebreos 3:12-13 para la vida en comunidad, toda corrección bíblica apunta a la restauración (Lc 17:3-4; 2Ts 3:14-15; Stg 5:19-20).

4. Date prisa

Ora por la restauración de la otra persona, pero no esperes mucho allí sobre tus rodillas. Hebreos nos alienta a darnos prisa y ser constantes: «día tras día». No permitas que los patrones de pecado manifiesto se infecten. Si es posible, no dejes que se ponga el sol.

> Hermanos, cuiden de que no haya entre ustedes ningún corazón pecaminoso e incrédulo, que los lleve a apartarse del Dios vivo. Más bien, anímense unos a otros *día tras día*, mientras se diga «Hoy», para que el engaño del pecado no endurezca a nadie (Heb 3:12-13).

Dar una palabra de corrección con humildad y amor no es solo para las palabras y las acciones que son completamente erróneas o están al borde de la blasfemia, sino para cuando nos damos cuenta de alguna aparente inclinación hacia el mal o el engaño. Lo ideal es que vivamos en una comunidad tan honesta y habitual —y que hablemos sin demora y lo recibamos con una fortaleza que refleje el evangelio— que las palabras apacibles y mansas de reprensión y corrección sean algo común, que el pecado sea regularmente cortado de raíz en lugar de tener tiempo y espacio para crecer hasta llegar a ser una gran maleza repugnante.

5. Sé amable

Lo que hace que una palabra de corrección sea verdaderamente cristiana no son solo los recordatorios explícitos de las verdades del evangelio, sino también el tono y el comportamiento que reflejan a nuestro Maestro. Hay un espacio para la gravedad y la severidad en respuesta a una patente dureza del corazón, pero con mayor frecuencia, en el tipo de corrección habitual que nos concedemos unos a otros en comunidad, hay un patrón de mansedumbre del «siervo del Señor» que establece nuestro camino:

> El siervo del Señor no debe ser contencioso, sino *amable para con todos*, apto para enseñar, sufrido; *que corrija con mansedumbre a los que se oponen*, por si acaso Dios les concede arrepentirse para que conozcan la verdad y escapen del lazo del diablo, en el cual se hallan cautivos y sujetos a su voluntad (2Ti 2:24–26).

En un sentido, toda reprensión justa es un acto de bondad. «Que el justo me hiera con bondad y me reprenda; es aceite sobre la cabeza; no lo rechace mi cabeza» (Sal 141:5, LBLA). Pero es todavía mayor regalo cuando dicha bondad es ofrecida amablemente. Y si debemos corregir con mansedumbre a los que se oponen (2Ti 2:25), cuánto más a un amigo.

Por más que los vestigios de pecado en nosotros hagan que nuestra mano sea dura con otros pecadores, el Espíritu obra otro patrón en nosotros al caminar a la luz del evangelio. «Hermanos, si alguno es sorprendido en alguna falta, ustedes, que son espirituales, restáurenlo con espíritu de mansedumbre» (Gá 6:1).

6. Sé claro y específico

Pero tu amabilidad puede enviar el mensaje equivocado si no es claro. Cuando hemos evaluado nuestro propio corazón, hemos buscado empatía, hemos orado por restauración, y hemos sido rápidos y amables para enfrentar el pecado, ahora estamos empoderados para ser francos y directos, sin necesidad de andar con rodeos respecto a lo que realmente ha llamado nuestra atención.

Antes de acercarte a alguien con una palabra de corrección, ten claridad en tu propia mente sobre lo que estás observando y la forma en que puede ser dañino. Tal vez incluso puedas bosquejar en una hoja algunas palabras claves, frases u oraciones para asegurarte de que son suficientemente objetivas para comunicar y no están demasiado enredadas en tu propio entendimiento subjetivo. Prepara algunos ejemplos específicos. Ora y absorbe el amor del apóstol por la claridad y «la manifestación de la verdad» (2Co 4:2). Su oración en Colosenses 4:4 se trata de la transparencia al comunicar el evangelio, pero se relaciona también con la corrección del hermano: «Oren para que yo lo anuncie con claridad, como debo hacerlo» (NVI).

7. Realiza un seguimiento

Finalmente, planifica alguna manera de realizar un seguimiento. Si lo reciben bien, realiza un seguimiento con una nota, un llamado o una conversación, y reconoce esa evidencia de la gracia en su vida. Si no lo reciben bien, realiza un seguimiento con alguna otra expresión de amor por ellos, tal vez con un recordatorio de que tú no tienes nada que ganar más que su propio bien, que no te molesta estar equivocado si la corrección fue más bien subjetiva, y que estás orando por esa persona mientras considera tu observación.

Ofrecer palabras habituales y amables de corrección puede parecer algo pequeño en la vida comunitaria. Es muy fácil simplemente dejar pasar los pecados y ocuparte de tus propios asuntos. Pero el efecto a largo plazo de esa gracia activa, administrada con humildad y amor, puede tener consecuencias eternas. «Hermanos, si alguno de ustedes se ha apartado de la verdad, y otro lo hace volver a ella, sepan que el que haga volver al pecador de su mal camino, lo salvará de la muerte y cubrirá una gran cantidad de pecados» (Stg 5:19–20).

Parte 4

CONCLUSIÓN

Capítulo 19

La comisión

Al principio dijimos que en un libro de este tamaño no habría espacio para un tratamiento exhaustivo de los medios de gracia y los muchos buenos hábitos que podemos cultivar en torno a esos medios. Hay mucho más que decir sobre los principios y la teología, sin mencionar las incontables ideas más específicas y creativas que podríamos aplicar en nuestra práctica cotidiana. Dejo esos temas para otros autores, y mejor aún, a tu propia ingenuidad, ensayo y error, y a otras personas en tu vida y tu comunidad. Pero antes de partir, será útil mencionar otros tres temas orientados a la práctica que están íntimamente relacionados con los medios de gracia.

Muchas personas han considerado que la evangelización y la mayordomía (de tiempo y de dinero) son disciplinas espirituales. Ciertamente hay aquí elementos que incluyen disciplina, y hay principios y promesas bíblicas que podrían correctamente llevarnos a pensar que son medios de gracia en algún sentido real. Sin embargo, creo que es más útil considerar la misión, el tiempo y el dinero en conjunto como disciplinas y búsquedas que son principalmente consecuencias de nuestra práctica habitual de escuchar la Palabra de Dios, hablarle al oído y participar en su cuerpo. Recibir la gracia continua de Dios en nuestra alma nos sostiene, nos inspira y nos empodera para la evangelización y la mayordomía. Y al hablar del reloj (capítulo 21) y del dinero (capítulo 20), podría ser más útil incluirlos dentro del marco de la Gran Comisión.

La misión como un medio de gracia

No podremos profundizar mucho con Jesús sino cuando comencemos a anhelar alcanzar a otros. Cuando nuestra vida en él es saludable y enérgica, no solo ansiamos seguir profundizando nuestras raíces en él, sino que también queremos alargar nuestras ramas y extender su bondad a otros.

Pero no solo el hecho de profundizar nuestra relación con Jesús nos lleva pronto a alcanzar a otros, sino que también el alcanzar a otros nos lleva a una mayor profundidad con él. En otras palabras, sumarse a la misión de Jesús de hacer discípulos en las naciones puede ser lo que él use para desafiar tu letargo espiritual y hacer arrancar tu santificación estancada. Un pastor veterano escribe:

> A menudo me encuentro con cristianos que atraviesan un mal espiritual, aferrándose a su fe pero sin avanzar mucho. El estudio bíblico se ha vuelto una tarea rutinaria; la oración es un hábito árido. El milagro de su propia conversión, que anteriormente era relatado con gran pasión, es ahora una memoria distante y disipada. E ir a la iglesia es, bueno, es algo que hacen. De manera mecánica y poco entusiasta, estas personas recorren fatigosamente el arduo trabajo del cristianismo en cuarentena.

> Pero cuando estos creyentes aletargados se liberan del aislamiento espiritual y se encuentran con personas en búsqueda espiritual, algo increíble comienza a suceder. Al experimentar las conversaciones de alto riesgo que suelen

darse con personas no creyentes, ellos comienzan a reconocer que se produce una especie de renovación interior. Algunas áreas que habían sido ignoradas por mucho tiempo repentinamente cobran vida con un nuevo sentido... ¿No es increíble que el hecho de profundizar nuestros esfuerzos por alcanzar a otros pueda ser un catalizador para nuestro crecimiento personal?[1].

Vivir con actitud de misión no es solo un resultado de la gracia de Dios que nos llega a través de los canales de su Palabra, la oración y la comunión, sino que también puede ser un medio de su gracia hacia nosotros en la totalidad de la vida cristiana.

Discipulado como un medio de gracia

El discipulado es el proceso en el cual un creyente maduro invierte su vida por un periodo definido de tiempo en acompañar a uno o unos pocos creyentes más nuevos para ayudarles en su crecimiento en la fe. Esto también incluye ayudarles para que ellos inviertan en otros que a su vez invertirán en otros. Eso fue lo más importante del ministerio de Jesús, desde el momento en que llamó solo a doce: «Síganme, y yo haré de ustedes pescadores de hombres» (Mt 4:19), hasta que los envió: «Por tanto, vayan y hagan discípulos en todas las naciones» (Mt 28:19).

No sorprende que por lo general pensemos en el discipulado como algo unilateral. El cristiano «mayor», más maduro, está dando de su tiempo y energía para invertir intencionalmente en un creyente más joven. El disfrute de los medios de gracia (Palabra, oración y comunión) por parte del guía sirve para impulsarlo espiritualmente para que él desborde hacia otros. Sin embargo, el discipulado es la mismísima esencia de la comunión cristiana, y cada creyente, en quien habite el Espíritu de Dios, puede ser un canal de la gracia de Dios hacia otra persona. Esto significa

---

1 Bill Hybels, *Becoming a Contagious Christian* (Grand Rapids, MI: Zondervan, 1996), 30, 32.

que un buen discipulado es siempre una vía de doble sentido. El «discípulo» y el «guía» son fundamentalmente discípulos de Jesús. Y así, como dice Stephen Smallman: «Nuestro compromiso con el discipulado será una de las cosas más significativas que podremos hacer para nuestro propio crecimiento como discípulos»[2]. Así ocurre con cualquier tema: lo comprendemos mejor cuando lo enseñamos a otros.

Hacer discípulos es un gran medio de gracia continua de Dios en la vida de quien realiza el discipulado. Estas son cuatro formas, entre muchas, en que recibimos esa gracia.

1. El discipulado nos muestra nuestra pequeñez y la grandeza de Dios

Estar activos haciendo discípulos nos ayuda a ver nuestra vida con una mejor perspectiva; no con nosotros en el centro, haciendo las cosas importantes, sino situados felizmente en la periferia, haciendo nuestra pequeña parte en un plan grande y glorioso del tamaño de Dios. Es sorprendente que Jesús diga «las naciones». *Hagan discípulos en las naciones.* La visión es enorme; no podría ser más grande. Y sin embargo nuestra parte es pequeña.

Un notable refrán que he escuchado una y otra vez en círculos de evangelización en las universidades es «piensa en grande, comienza pequeño, ve a lo profundo». Piensa en grande: la gloria mundial de Dios, entre todas las naciones. Comienza pequeño: enfócate en unos pocos, como lo hizo Jesús. Ve a lo profundo: invierte en profundidad en esos pocos, tan profundamente que estarán equipados y preparados para hacer lo mismo en la vida de otros.

El discipulado es tan masivo como la Gran Comisión y tan ínfimo y aparentemente insignificante como la vida cotidiana. La vida cristiana no solo conecta nuestras vidas pequeñas con

---

2 *The Walk: Steps for New and Renewed Followers of Jesus* (Phillipsburg, NJ: P&R, 2009), 211.

los propósitos mundiales de Dios, sino que también traduce la grandeza de la misión en la pequeñez de nuestras acciones cotidianas. El discipulado es un camino principal —y el único camino explícito en la Comisión— en el cual nuestras vidas ínfimas y locales se conectan con el plan más grande y mundial de Dios.

Aquí hay cabida para el impulso cristiano casi heroico, que cambia el mundo y con una perspectiva global. Pero esa visión se desarrolla en la normalidad impopular y poco atractiva de la vida cotidiana. *Piensa en grande, comienza pequeño, ve a lo profundo.* Visualiza algo grande, mundial, de muchos. Actúa pequeño, local, con pocos. Como escribe Robert Coleman: «Uno no puede transformar un mundo excepto cuando los individuos en el mundo son transformados»[3].

2. EL DISCIPULADO NOS DESAFÍA A SER CRISTIANOS INTEGRALES

Al invertir en creyentes más nuevos para contribuir a su crecimiento espiritual equilibrado y completo, debemos recordar nosotros mismos la salud integral en la fe y alentarnos a buscarla.

Un buen discipulado requiere intencionalidad y capacidad de relacionarse. Esto implica ser estratégico *y también* ser sociable. La mayoría de nosotros tendemos a lo uno o lo otro. Nos relacionamos naturalmente, pero nos falta intencionalidad. O nos parece fácil ser intencionales, pero nos cuesta relacionarnos. Generalmente nos inclinamos (o a veces recaemos) hacia uno de los dos aspectos cuando comenzamos el proceso de hacer discípulos.

Pero inclinarnos hacia uno de esos aspectos no servirá para cubrir todo el panorama de lo que requiere el discipulado de vida a vida. No se trata de una relación solo de amigo a amigo, ni tampoco de maestro a estudiante. Se trata de ambos. Se trata

---

3 *The Master Plan of Evangelism* (Grand Rapids, MI: Revell, 1993), 23.

de compartir la vida cotidiana (relación) y buscar iniciar y aprovechar al máximo los momentos de enseñanza (intencionalidad). Se combinan las largas caminatas a través de Galilea y los sermones en la montaña. El discipulado es tanto orgánico como planificado, relacional e intencional, con contexto compartido y contenido compartido, con tiempo de calidad y cantidad.

3. El discipulado nos hace más consciente de nuestro pecado

El discipulado es más que simplemente decir la verdad; también se trata de compartir la vida, como Pablo escribe a los tesalonicenses: «Hubiéramos querido entregarles no sólo el evangelio de Dios sino también nuestra propia vida» (1Ts 2:8). Cuando Pablo dice «no sólo el evangelio», toma asiento y anota. Esto es algo importante.

Compartir tu vida con otra persona implica estrechar el vínculo: no solo compartir información, sino compartir la vida, compartir el espacio. Y cuánto más se acercan los pecadores, más resurge el pecado (razón por la cual el matrimonio puede ser una buena base para la santificación al acercarse crecientemente entre sí dos pecadores).

En un buen discipulado somos capaces de demostrarles a aquellos en quienes estamos invirtiendo algo que los discípulos de Jesús nunca vieron en él: cómo arrepentirse. Aquellos que observan nuestra vida y buscan imitar nuestra fe necesitan ver que somos honestos y francos al hablar de nuestros pecados, oír nuestras confesiones, atestiguar nuestro arrepentimiento, y observar cómo buscamos con empeño la transformación.

Para ser más específicos, el discipulado requiere que muramos a nuestro egoísmo —egoísmo con nuestro tiempo y nuestro espacio. Para ser aún más específicos, significa morir a gran parte de nuestra preciada privacidad. La mayoría de nosotros llevamos a cabo la vida en soledad más de lo necesario. Pero en el discipulado, nos preguntamos: ¿cómo podemos vivir *juntos* la vida cristiana? ¿Cómo puedo darle a este cristiano más nuevo acceso a mi vida real, y no a una fachada triunfal que uso una vez por semana? Esto señala la muerte de gran parte de nuestra privacidad. A ese discípulo o esos pocos discípulos en quienes estamos invirtiendo los incluimos en el proceso y el desorden de nuestra santificación al tiempo que nosotros entramos en el suyo.

Tenemos que estar con ellos (Mc 3:14) para tener el tipo de efecto que Jesús tuvo en sus hombres: «Al ver el valor de Pedro y de Juan, y como sabían que ellos eran gente del pueblo y sin mucha preparación, se maravillaron al reconocer que habían estado con Jesús» (Hch 4:13). Y al hacerlo, nuevas manifestaciones del pecado serán expuestas en nuestra vida, y nos encontraremos en una mayor necesidad de la gracia continua de Dios.

4. El discipulado nos enseña a reclinarnos con mayor intensidad sobre Jesús

El discipulado suele ser una tarea enrevesada y difícil. Verás tus debilidades, fracasos e incapacidades como nunca antes, y con la ayuda de Dios, te enseñará mucho más a apoyarte Jesús.

Los buenos maestros deben aprender, en dependencia del Espíritu, cómo lidiar bien con el fracaso. Y la manera cristiana de lidiar bien con el fracaso es llevarlo a la cruz.

Aunque el discipulado parezca simple, no será algo sencillo, y si eres honesto contigo mismo, incluirá algún tipo de fracaso. Fracaso en nuestro amor. Fracaso en tomar la iniciativa. Fracaso en compartir el evangelio con claridad y valentía. Fracaso en compartir nuestra vida por causa del egoísmo. Fracaso en perseverar, y estar suficientemente preparados, orar sin cesar, y caminar con paciencia.

El discipulado nos acorrala, expone nuestros fracasos, y nos enseña a recibir nuestra fortaleza diaria, no de nosotros mismos, sino de Jesús y del evangelio, que son la esencia del discipulado. El evangelio es el testigo que debe ser pasado. Este es el contenido, «el depósito» (1Ti 6:20; 2Ti 1:14) transmitido de una generación espiritual a la siguiente. Este es el tesoro que está en nosotros y que trabajamos para incorporar a otros vasos de barro (2Co 4:7).

Hacemos discípulos no para clonarnos, ni para reproducir nuestras idiosincrasias y caballitos de batalla personales. Más bien, hacemos discípulos para transmitir el evangelio. No nos centramos en nosotros mismos, sino en Jesús, que no es solo el gran modelo sino también el contenido del discipulado. Bautizamos en el nombre de Jesús, no en el nuestro. Y enseñamos a otros a obedecer todo lo que él ha ordenado, no lo que nosotros aconsejaríamos personalmente.

Pero Jesús y su evangelio no son solamente el contenido principal del discipulado. Para el maestro defectuoso y fracasado, Jesús es también el Gran Consuelo, quien nos libera de tener que ser maestros perfectos. Ya ha habido uno, y fue perfecto en todo el trayecto desde las costas de Galilea hasta la cruz del Calvario, adonde llevó nuestros pecados y fracasos. No necesitamos imitar su perfección al hacer discípulos. No podemos.

Pero podemos recibir gran consuelo sabiendo que en él nuestros fracasos están cubiertos, y que aquel que promete edificar su iglesia y estar siempre con nosotros al llevar a cabo su Comisión, el único soberano, ama santificar el discipulado a medias y de baja calidad, y hacerse ver bien mostrándose a sí mismo, no al maestro subalterno, como la gran fuente de poder detrás del discipulado.

Capítulo 20

El dinero

———

Para el cristiano, la cuestión no es simplemente *dar*, sino *cómo dar*. «Dios ama a quien da con alegría» (2Co 9:7). Y el dar con alegría recae sobre el gran *porqué* de la generosidad cristiana: que Cristo mismo —nuestro Salvador, nuestro Señor y nuestro mayor tesoro— demostró la máxima generosidad al venir a redimirnos. «Por amor a ustedes, siendo rico se hizo pobre, para que con su pobreza ustedes fueran enriquecidos» (2Co 8:9). Si Jesús está en nosotros, entonces esa inclinación a ser desprendidos también estará crecientemente en nosotros.

Uno de los resultados de que el evangelio eche raíces cada vez más profundas en nuestra alma es que libera nuestras manos para que dejen de aferrarse a nuestros bienes. La generosidad es una de las grandes evidencias de ser verdaderamente un cristiano. No solo es Jesús mismo el que habla con más frecuencia, y nos advierte con mayor severidad, sobre el peligro de la codicia, sino que también es él quien apela fuertemente a nuestro gozo y dice: «Hay más bendición en dar que en recibir» (Hch 20:35).

Las siguientes son cinco verdades para poner en práctica al

invertir y dar para el servicio del amor al prójimo y el avance de la misión.

1. EL DINERO ES UNA HERRAMIENTA

El dinero no es malo en sí mismo. La riqueza *per se* no es pecaminosa, sino el querer enriquecerse (1Ti 6:9). «La raíz de todos los males» no es el dinero, sino «el amor al dinero» (1Ti 6:10), del cual deberíamos mantener libre nuestra vida (Heb 13:5). Es esta codicia (1Ti 6:10) en nuestro corazón pecaminoso lo que resulta tan peligroso.

Con todas las fuertes advertencias en la Biblia sobre cómo nos manejamos con el dinero (como la condena del lujo y los excesos en Santiago 5:1-6), puede ser fácil olvidar que el problema no es el dinero, sino nuestro corazón. Las finanzas, los salarios y los presupuestos son una parte importante del mundo que creó nuestro Señor y al que vino como criatura, con todas sus limitaciones de espacio, tiempo y finitud.

Cuando los enemigos de Jesús le preguntaron sobre los impuestos al César, Jesús no denunció la maldad del dinero, sino que relativizó su rol en relación con Dios (Mt 22:21). Cuando vinieron a cobrar su impuesto del templo, él proveyó (milagrosamente) tanto para él como para Pedro (Mt 17:27). Incluso Jesús elogió, frente a las objeciones de Judas, la exhibición suntuosa del amor de María al ungir sus pies con un caro perfume (que valía más que el salario de un año). Jesús incluso llegó a decir: «Háganse de amigos por medio de las riquezas injustas, para que cuando éstas falten, sean ustedes recibidos en las mansiones eternas» (Lc 16:9). En otras palabras, el dinero es una herramienta que puede ser usada para metas de largo plazo dirigidas por Dios, y no solo para propósitos egoístas de corto plazo.

Y las herramientas fueron hechas para ser usadas. Guardar el dinero no servirá para satisfacer nuestra alma ni para saciar las necesidades de otras personas.

2. La forma en que usamos el dinero revela nuestro corazón

Mateo 6:21 contiene un recordatorio importante: «Donde esté tu tesoro, allí estará también tu corazón». Acaparar nuestro dinero revela algo: que tenemos miedo de no tener suficientes fondos en algún momento del futuro. La mezquindad delata nuestra incredulidad en la provisión de nuestro Padre celestial (Mt 6:26) y en su promesa de que «suplirá todo lo que les falte, conforme a sus riquezas en gloria en Cristo Jesús» (Fil 4:19).

El dar nuestro dinero también habla. Es una oportunidad para mostrar, y reafirmar, el lugar de la fe y el amor en nuestro corazón. Es una oportunidad para poner en práctica con alegría los dos mandamientos más importantes a través de nuestra generosidad, y para cultivar la mente de Cristo a través de la forma en que gastamos: «No busque cada uno su propio interés, sino cada cual también el de los demás» (Fil 2:4). Resulta revelador el hecho de que Pablo compare a los «amantes del dinero» con los que son «amantes de sí mismos» (2Ti 3:2).

Pero la mayor prueba de nuestro tesoro no es si estamos dispuestos a gastarlo, sino en quién y en qué lo invertimos. La generosidad es una ocasión para pasar por alto las pequeñas alegrías del gasto orientado a uno mismo, y buscar los mayores placeres de invertir en otros. Así, un buen instinto para desarrollar en el umbral de las compras importantes es preguntarnos lo que este gasto revela sobre nuestro corazón. ¿Qué deseo estoy intentando satisfacer? ¿Esto es para la comodidad personal, para el avance del evangelio, o para expresar amor a un amigo o a un familiar?

3. El sacrificio varía en cada persona

Pero acumular y dar no son las únicas opciones. Para la mayoría de nosotros, la mayor parte de nuestro gasto se invierte en satisfacer nuestras propias necesidades y las necesidades de nuestra familia. Ese tipo de gasto es inevitable y necesario. Es algo bueno. Dios nos provee un ingreso con este propósito. Y a muchos de nosotros, nos da recursos más allá de nuestras necesidades y nos permite unirnos a él en el gozo de dar a otros.

Esto plantea la pregunta de cuánto es suficiente para «nuestras necesidades». ¿Se trata solamente de comida, vestimenta y vivienda en medidas escasas? ¿Dónde está el límite entre gastar en uno mismo de manera justa y de manera injusta? ¿Existen patrones para ayudarnos a saber cuándo guardar y cuánto dar a otros con generosidad?

Agustín ofrece un modelo de «las necesidades de esta vida», que Rebecca DeYoung resume así:

> … no solo lo que es necesario para la mera subsistencia, sino también lo que es necesario para vivir una vida adecuada o apropiada para los seres humanos. El punto no es vivir de migajas de pan con paredes básicas y ropas harapientas. El punto es que una vida totalmente humana se vive siendo libres de estar esclavizados a nuestras cosas. Nuestras posesiones existen para servir a nuestras necesidades y a nuestra humanidad, en vez de que nuestras vidas estén centradas alrededor del servicio a nuestras posesiones y a nuestros deseos[1].

Sin duda, discernir qué es y qué no es «una vida totalmente humana… libres de estar esclavizados a nuestras cosas» tendrá variantes en diferentes lugares y diferentes personas. «*Cada uno debe dar según se lo haya propuesto en su corazón*, y no debe dar con tristeza, ni por necesidad, porque Dios ama a quien da con alegría» (2Co 9:7). Cuando se trata de finanzas, es bueno que nos evaluemos a nosotros mismos, en vez de evaluar a otros, y recordar cuán propensos somos a ser flexibles con nosotros mismos y duros con los demás.

---

1 *Glittering Vices: A New Look at the Seven Deadly Sins and Their Remedies* (Grand Rapids, MI: Brazos, 2009), 106.

Es difícil, y probablemente imprudente, prescribir cuestiones particulares aquí, pero podemos crear algunas categorías útiles, y describir errores a evitar, como por ejemplo «estar esclavizados a nuestras cosas». Algo que debemos señalar es que «una vida totalmente humana» no es una existencia estática. Dios nos creó para diferentes ritmos y cadencias, para banquetes y ayunos, para el ruido y la multitud y para el silencio y la soledad. Aunque sea algo mínimo, resulta útil identificar y mencionar los extremos de la opulencia y la austeridad prolongadas. Necesitamos un lugar tanto para el banquete financiero como para el ayuno financiero. Deberíamos aborrecer el llamado «evangelio de la prosperidad», no ponernos en aprietos por la mezquindad disfrazada de mayordomía cristiana, y ser conscientes de que generar una gran deuda de tarjetas de crédito significa probablemente que estamos gastando más allá de nuestros recursos.

Si bien no es fácil discernir con precisión cuánto es mucho o poco para cada persona, John Piper observa sabiamente que: «La imposibilidad de establecer un límite entre la noche y el día no significa que sea imposible saber cuándo es medianoche»[2].

Una última cosa que podemos señalar a modo de estándar es la prueba del sacrificio. ¿Alguna vez te abstienes de algo que podrías considerar como una «necesidad de la vida» para poder dar a otros?

Nada revela nuestro corazón como el sacrificio. Cuando estamos dispuestos no solo a dar de lo que nos sobra, sino a aceptar alguna pérdida o desventaja personal para expresar generosidad hacia otros, decimos con voz fuerte y clara, aunque solo sea para que oiga nuestra propia alma, que tenemos un amor que va más allá de nosotros mismos y de nuestras comodidades.

---

2 Entrevista de Collin Hansen a John Piper, «Piper on Pastors' Pay», The Gospel Coalition, 6 de noviembre, 2013, http:// www.thegospelcoalition.org /article /piper -on -pastors -pay.

4. LA GENEROSIDAD ES UN MEDIO DE GRACIA

Tal sacrificio plantea la pregunta que ha estado en la superficie durante todo nuestro recorrido mientras abordamos el tema de dar: ¿Hay alguna *recompensa* por la generosidad y el sacrificio —ya sea que estamos entregando regalos de Navidad, donaciones de fin de año, o una comida a un amigo o a un extraño— más allá de nuestra propia liberación existencial y el sentido de alegría que nos trae un acto desinteresado? En la economía de Dios, ¿el dar a otros es un canal para nuestra propia recepción de gracia desde el cielo?

Aunque no promete recompensas físicas en esta vida como respuesta a nuestras dádivas, el Nuevo Testamento enseña que la generosidad es un medio de gracia para nuestra alma, y que Dios está preparado para bendecir a aquellos que dan por fe. «Hay *más bendición* en dar que en recibir» (Hch 20:35). Y la promesa es incluso más fuerte en 2 Corintios 9:

- Versículo 6: «El que poco siembra, poco cosecha; y el que mucho siembra, mucho cosecha».
- Versículo 8: «Dios es poderoso como para que abunde en ustedes toda gracia, para que siempre y en toda circunstancia tengan todo lo necesario, y abunde en ustedes toda buena obra».
- Versículos 10–11: «Aquel que da semilla al que siembra, y pan al que come, proveerá los recursos de ustedes y los multiplicará, aumentándoles así sus frutos de justicia, para que sean ustedes enriquecidos en todo, para toda generosidad, que por medio de nosotros produce acción de gracias a Dios».

Es la gracia de Dios la que libera nuestra alma del egoísmo y nos empodera no solo para la generosidad, sino para el sacrificio. Y Dios no pasará por alto dicho sacrificio. Por la fe, lo que damos para satisfacer las necesidades de otras personas se vuelve una ocasión para que una mayor gracia divina inunde nuestra alma.

5. Dios es el dador más alegre

Finalmente, por más alegres que podamos ser como dadores, no podemos superar al verdadero Dador alegre. Voluntariamente entregó a su propio Hijo (Jn 3:16; Ro 8:32), como lo había propuesto en su corazón, no con tristeza ni por necesidad, sino con alegría.

Y Jesús mismo estuvo dispuesto desde lo profundo de su ser, ofreciéndose a sí mismo por medio del Espíritu eterno (Heb 9:14) y sacrificando las verdaderas riquezas para satisfacer nuestra mayor necesidad. «Ustedes ya conocen la gracia de nuestro Señor Jesucristo que, por amor a ustedes, siendo rico se hizo pobre, para que con su pobreza ustedes fueran enriquecidos» (2Co 8:9).

Dios ama al que da con alegría porque él es uno de ellos, el dador por excelencia. Y toda dádiva que damos en Cristo es simplemente un eco de lo que ya hemos recibido, y de las abundantes riquezas venideras (Ef 2:7).

Capítulo 21

El reloj

El tiempo siempre avanza. Es inevitable. Todo humano, en todo lugar del planeta, cualquiera sea su cultura, está sujeto al incesante paso del tiempo. La arena del reloj no deja de caer. Sin importar cuánto lo descuidemos, lo reprimamos o nos estresemos por él, no hay nada que podamos hacer para detener su arremetida. Puedes ignorar el ajetreo, pero asumiendo tu propio riesgo. O puedes avanzar por el camino de la sabiduría siendo buen mayordomo de tus cortos y escasos días como dádivas que provienen de Dios.

Lo primero que hay que decir sobre el hecho de ser intencional con nuestro tiempo es que la Escritura lo encomienda. Prestar atención a una mejor administración del tiempo no es una invención secular. La reciente saturación de libros de negocios que abordan el tema está precedida mucho antes por la enseñanza de la Biblia.

No solo el apóstol Pablo nos hace el encargo: «¡Cuidado con su manera de vivir! … Aprovechen bien el tiempo» (Ef 5:15-16), sino que incluso un milenio y medio antes la oración de Moisés pedía la ayuda de Dios para «contar bien nuestros días, para que en el corazón acumulemos sabiduría» (Sal 90:12).

Las Escrituras tienen mucho que decir sobre la mayordomía de nuestro dinero, y no se requiere mucho para ver que el reloj es incluso más valioso que el dinero. Como reflexiona Donald S. Whitney: «Si las personas desperdiciaran su dinero tan desconsideradamente como desperdician su tiempo, las consideraríamos dementes. Sin embargo, el tiempo es infinitamente más precioso que el dinero porque el dinero no puede comprar tiempo»[1].

Si es la voluntad del Señor

Pero la Biblia no solo encomienda la administración del tiempo; también incluye advertencias. Sí, el descuido del tiempo es un peligro frecuente, pero la trampa en el otro extremo es casi epidémica en nuestros días. Ya sea que el pecado de raíz sea la ansiedad, el egoísmo, o el simple orgullo y la arrogancia, la respuesta para nuestro descuido no es caer en el otro extremo de ser consumidos por nuestro calendario. El dios de la administración del tiempo nos fallará pronto si reemplazamos a Cristo, su providencia y sus prerrogativas.

Santiago lleva la voz cantante en reprender, o al menos santificar, nuestra planificación:

> Ahora escuchen con cuidado, ustedes los que dicen: «Hoy o mañana iremos a tal o cual ciudad, y estaremos allá un año, y haremos negocios, y ganaremos dinero.» ¡Si ni siquiera saben cómo será el día de mañana! ¿Y qué es la vida de ustedes? Es como la neblina, que en un momento aparece, y luego se evapora. Lo que deben decir es: «Si el Señor quiere, viviremos y haremos esto o aquello». Pero ustedes se jactan con arrogancia, y toda jactancia de este tipo es mala (Stg 4:13-16).

---

1 *Spiritual Disciplines for the Christian Life*, rev. ed. (Colorado Springs: NavPress, 2014), 166–67.

Santiago se hace eco del consejo de Proverbios 27:1: «No te ufanes del día de mañana, porque nunca sabes lo que el mañana traerá». Podemos pronosticar, pero no sabemos lo que traerá la próxima hora, mucho menos la semana que viene. Por más que nuestro tiempo parezca ser nuestro, en definitiva, todo reloj es de Dios. Él puede levarnos a una edad avanzada y a peinar canas (Is 46:4), o puede decir, sin aviso: «Necio, esta noche vienen a quitarte la vida» (Lc 12:20).

Las agujas del reloj están siempre en las manos de Dios. Resulta arrogante planificar si no planificamos para Dios.

Exceso de productividad

Ciertamente, demasiadas personas son descuidadas con su tiempo, pero vivimos en una época en que la administración del tiempo está de moda. Al menos en Occidente, es posible que estemos conscientes del reloj, y de cuán efímero es el tiempo, más que en el pasado. Las librerías locales ahora ofrecen más libros sobre productividad y administración del tiempo que sobre filosofía y religión. La «pornografía de la productividad» ha atrapado a una infinidad de personas en su red de sistemas que mejoran continuamente[2].

En la actualidad, los expertos nos dicen que nos encarguemos de nuestra rutina diaria antes que otra persona lo haga, que el mayor problema que enfrentamos es el «volumen de trabajo por reacción», y que debemos proteger con atención nuestra sagrada agenda de la invasión de las necesidades y prioridades ajenas[3].

Tal vez más que nunca, necesitamos escuchar de nuestro Padre de amor el recordatorio duro pero feliz de 1 Corintios 6:19-20 diseñado para nuestra planificación: *Tu tiempo no es*

---

2 James Bedell, «The Trap of Productivity Porn», Medium.com, 21 de diciembre, 2013, http://www .medium .com /thinking -about -thinking /the -trap -of -productivity -porn -7173d1cc6f95.
3 Por ejemplo, *Manage Your Day-to-Day: Build Your Routing, Find Your Focus, and Sharpen Your Creative Mind*, ed. Jocelyn Glei, 99U Book Series (Las Vegas: Amazon Publishing, 2013).

tuyo. Fuiste comprado por un precio. Por lo tanto, da gloria a
Dios en tu agenda.

¿Pero entonces qué? Si nuestro tiempo en definitiva no es
nuestro, sino de él, ¿cómo podrá la fe dirigir el tiempo que
estamos administrando como un préstamo?

La fe que obra a través del amor

Un principio clave para nuestra administración del tiempo desde
un enfoque cristiano es este: *que el amor al prójimo sea lo que*
dirige tu planificación disciplinada e intencional. Es el amor al
prójimo lo que cumple la ley de Dios (Ro 13:8, 10). Santificar
nuestro tiempo con la guía de Dios implicará usarlo en otras
personas mediante múltiples muestras de amor. Las buenas
obras no glorifican a Dios satisfaciendo sus necesidades (él no
tiene ninguna necesidad, Hch 17:25), sino mediante el servicio
a otros. Como dijo memorablemente Martín Lutero, no es Dios
el que necesita tus buenas obras, sino tu prójimo.

Cuando le pedimos a Dios que nos enseñe a contar nuestros días, esta es la lección que aprendemos una y otra vez.
Una forma práctica de hacerlo es programar el tiempo tanto
para el bien proactivo en el llamado que Dios nos ha dado
y el bien reactivo que responde a las necesidades urgentes de
otras personas. Aprender a permitir que el amor inspire y dirija
nuestra planificación probablemente implicará dedicar bloques
bastante rígidos para nuestras tareas proactivas, junto con un
margen generoso y una flexibilidad planificada para satisfacer
regularmente las necesidades no planificadas de otras personas.

Tal vez haya toda una teología de la administración del
tiempo bajo la superficie al final de la breve carta de Pablo a su
pupilo Tito: «Que aprendan también los nuestros a ocuparse
en las buenas obras para los casos de necesidad, para que no
se queden sin dar fruto» (Tito 3:14). La productividad significa
satisfacer las necesidades de otras personas con «buenas obras»

—utilización de nuestro tiempo, energía y dinero al servicio del amor— que serán tanto proactivas como reactivas. Sin planificación, fallaremos en lo proactivo; sin flexibilidad, no estaremos disponibles para lo reactivo.

Para aquellos que lo han desperdiciado

Pero incluso cuando aspiramos intencionalmente a permitir que el amor dirija nuestras agendas, ninguno de nosotros podrá hacerlo de manera perfecta, ni siquiera de manera aceptable. Los pecadores son derrochadores crónicos de tiempo y frecuentemente son víctimas de ataques de desamor. Incluso los administradores de tiempo más disciplinados son vulnerables a tropiezos importantes cada día.

Entonces, ¿qué hacemos con el remordimiento por todo el tiempo que hemos desperdiciado? Dios mantiene esta esperanza mientras aprendemos a amar mediante la administración de nuestro tiempo: Redime tus días, semanas y años perdidos permitiéndoles que te lleven a Jesús, y que te inspiren, por fe, para contar con mayor cuidado los días que todavía te quedan.

Cuando el evangelio inunda nuestra alma, y nuestro cronograma, y sabemos profundamente que «fui alcanzado por Cristo Jesús», entonces, en todas nuestras imperfecciones e indiscreciones —pero vivificados en fe, potenciados por el Espíritu, e impulsados por amor— somos capaces de «seguir adelante» y «me olvido ciertamente de lo que ha quedado atrás, y me extiendo hacia lo que está adelante; ¡prosigo a la meta, al premio del supremo llamamiento de Dios en Cristo Jesús!» (Fil 3:12-14).

El tiempo puede avanzar constantemente, pero las misericordias de Cristo se renuevan cada mañana. E incluso cada hora.

Cuatro lecciones para la administración productiva del tiempo

Finalmente, para lograr que algunos de estos principios sean más específicos y prácticos, aquí hay cuatro lecciones para la administración productiva del tiempo, en función de la misión del amor.

1. Considera tu llamado

Dios nos ha dado dones a cada uno de nosotros para el bien común (1Co 12:7). Él distribuye una variedad de dones, servicios y actividades entre su pueblo (12:4-6). En términos de nuestro «llamado» profesional, a menudo nos resulta más fácil identificar hacia dónde nos podría estar llevando Dios en el futuro, en vez de aquello a lo que nos ha llamado en el presente. Por ejemplo, para el estudiante de negocios, que siente un «llamado» a trabajar un día en los negocios para la gloria de Dios, puede ser difícil darse cuenta de que su llamado actual es ser estudiante, mientras avanza hacia lo que percibe como su llamado futuro en los negocios.

Nuestro llamado profesional —esa tarea habitual para la que Dios ha diseñado nuestra mente, nuestro corazón y nuestras manos para alguna etapa particular de la vida— no fluye solo de nuestras propias aspiraciones y las confirmaciones de otros, sino también de una oportunidad concreta. Alguno de nosotros podría sentir el llamado a alguna nueva profesión, y tener el visto bueno de aquellos que más nos conocen, pero mientras no se abra alguna puerta específica y tengamos la oportunidad real de comenzar a operar en ese campo, ese llamado permanece en el futuro; y descuidamos nuestro encargo anterior en perjuicio de nuestro gozo y el bien de otros.

2. PLANIFICA CON GRANDES ROCAS

A continuación, a la luz del llamado que Dios nos hace hoy, identifica las prioridades principales que conforman ese llamado. Normalmente, estas prioridades estarán en serio peligro, o abandonadas totalmente, si no hacemos planes acordes con cierta intencionalidad.

Algunos las han llamado «las grandes rocas»[1]. Las piedritas son aquellas cosas pequeñas a las que regularmente les dedicamos tiempo, pero no contribuyen directamente a las prioridades principales de nuestro llamado. Si primero colocamos las grandes rocas en el jarro de nuestra agenda, seremos capaces de completar los espacios vacíos con una buena cantidad de piedritas. Pero si ponemos las piedritas primero, es posible que las grandes rocas no encuentren cabida.

3. APROVECHA AL MÁXIMO TUS MAÑANAS

Aprende una lección de los salmistas (Sal 5:3; 30:5; 46:5; 59:16; 88:13; 90:5–6, 14; 92:2; 143:8), de Jesús mismo (Mc 1:35), y de muchos de los «grandes» en la historia de la iglesia: aprovecha al máximo tus mañanas.

Muchos estudios confirman la importancia de las primeras horas del día para llevar a cabo los aspectos más importantes (y a menudo los más intensos) de nuestro llamado. Por la mañana, somos más perspicaces y tenemos la mayor concentración de energía para trabajar de manera creativa y proactiva. También, por la mañana es menos posible que nos desviemos con interrupciones y con las urgencias que aparecen en el transcurso el día.

La forma en que invertimos regularmente nuestras mañanas puede ser algo revelador. ¿Cuántos de nosotros hemos reconocido como verdad que donde está nuestra mañana, allí también está nuestro corazón? Cuando nuestra máxima prioridad cada día

---

1 *Ibíd.*, 197.

es reorientarnos hacia Jesús y escuchar su voz en las Escrituras, será más probable que busquemos el espacio para esa tarea temprano en la mañana, y será menos probable que la dejemos a su suerte esperando que no termine ahogada por otras cosas más tarde en el día.

Entonces, desde el punto de vista vocacional, la manera en que usemos esas primeras horas del día puede ser fundamental. Por más difícil que pueda ser resistirnos a postergar nuestras tareas más intensas y demandantes («las grandes rocas»), el tiempo más estratégico para abordarlas son las primeras horas de la mañana. Con respecto a cómo el hecho de proteger así nuestras mañanas podría ser algo dirigido por el amor, piensa de esta manera: al proteger de las nimiedades la luz temprana de nuestras mañanas, nos liberamos para avanzar en la ofensiva y hacer retroceder la oscuridad con flexibilidad para llevar a cabo más tarde en el día los actos de amor no planificados. Esto nos lleva a una cuarta y última lección.

4. GENERA FLEXIBILIDAD PARA SATISFACER LAS NECESIDADES DEL PRÓJIMO

Hasta aquí hemos dejado más bien implícita la forma en que estas lecciones generales de la administración del tiempo funcionan al servicio del amor. Ahora seamos explícitos.

Por un lado, nuestra cuidadosa consideración del llamado, la planificación a la luz de las prioridades principales, y el hecho de aprovechar al máximo las primeras horas del día, todas estas lecciones funcionan al servicio del amor como resultado proactivo de nuestra vocación de servir y bendecir a otros. Después de todo, este es nuestro llamado en su sentido más verdadero y profundo: cómo Dios ha dispuesto que, con nuestras capacidades particulares, en una determinada etapa de la vida, invirtamos regularmente tiempo y energía por el bien de otros. Esa es la dimensión proactiva de nuestro llamado.

Pero, por otro lado, el conocer nuestros dones, prestar atención a nuestras prioridades, y abordarlas temprano en la mañana, también nos libera para ser reactivos durante el transcurso del día, siendo capaces de responder a las necesidades no planificadas de los demás, sean grandes o pequeñas, obvias o sutiles. El amor planifica bloques establecidos para avanzar con nuestras tareas proactivas de amor, pero también deja margen y flexibilidad para atender a las necesidades no planificadas de otras personas cuando surgen.

RECUERDA LAS PALABRAS DE JESÚS

Fraccionar tu tiempo es una práctica hedonista cristiana. Es una manera de recordar las palabras de Jesús, como él mismo dijo: «Hay más bendición en dar que en recibir» (Hch 20:35). Los mayores placeres no proceden del tiempo desperdiciado, acaparado, o gastado de manera egoísta, sino del amor abnegado por otros para la gloria de Dios, cuando dedicamos nuestro tiempo y energía para el bien de otros, y encontramos nuestro gozo en el de ellos.

Después de todo, los actos de amor no ocurren por casualidad.

Comunión con Cristo
en un día de locos

A todos nos ha ocurrido. Incluso tal vez hoy sea uno de esos días para ti. Un día de locos. Al menos espiritualmente hablando.

Esperamos que estés llevando a cabo tu rutina usual y tus «hábitos de gracia» elegidos, tu propio *cuándo, dónde,* y *cómo* buscar diariamente la comunión con Dios. Tal vez ya lo hayas hecho durante suficiente tiempo de manera que cuando suena la alarma en *un día normal,* ya emergen tus patrones y ritmos de cómo levantarte, tomar el desayuno y tener todo preparado para tener algún momento breve pero sustancioso de «entrar en la Palabra», para restablecer tu mente, recargar tu corazón y volver a calibrar tu perspectiva antes de zambullirte en el resto del día.

Pero entonces llegan esos días de locos. Y parecen suscitarse con mayor frecuencia de lo que esperamos. Puede ser la conversación por la noche, importante pero cansadora, que al día siguiente te tiene postergando la alarma una y otra vez. O tal vez pasas la noche con familiares, o ellos invaden tu casa.

Para los padres jóvenes, es el hijo (o los hijos) que estuvo despierto durante la noche, o se levantó de la cama demasiado temprano queriendo desayunar o reclamando tu atención. O tal vez es simplemente esa etapa de la vida, y honestamente cada mañana parece tener su propia locura. El enemigo parece tener nuevas estrategias creativas cada día para evitar que encuentres un «tiempo a solas con Dios» enfocado.

Cualquiera que sea la circunstancia que interrumpe tu rutina, tus mañanas alocadas plantean la pregunta: ¿cómo deberías planificar y comprometerte (si es que lo haces) con los medios de gracia de meditación bíblica y oración cuando la buena soberanía de Dios, aunque a menudo inoportuna, te mantiene girando en torno a tu rutina?

1. Recuerda de qué se tratan tus «hábitos de gracia»

Un buen lugar para comenzar es recordar el panorama general de tus rutinas espirituales matutinas. La meditación bíblica no se trata de marcar casilleros, sino de la comunión con el Cristo resucitado en y mediante su Palabra. Caminar hoy en su gracia no depende de que completes toda tu rutina devocional, o cualquier otra rutina. Es el patrón habitual de la comunión con Cristo lo que resulta vital, no un tiempo prolongado en un día particular.

Podrías leer todos los pasajes, dedicar tiempo a registrar en un diario la meditación y la oración, trabajar fuerte para memorizar la Escritura, y fácilmente avanzar en el día caminando en tu propia fortaleza y sin morir a tus intereses egoístas de manera tal de anticipar y actuar para satisfacer las necesidades de los demás. De hecho, es probable que los días en que nos sentimos más fuerte personalmente, y más realizados en lo espiritual, estamos más propensos a caminar en nuestras propias fuerzas, en vez de caminar por la fuerza que Dios provee (1P 4:11).

2. Considera el camino del amor

Encontrarse regularmente con Dios produce amor al prójimo. El hecho de tener nuestra alma afianzada y creciendo verticalmente produce buenos efectos horizontales. Si tu alma está siendo periódicamente moldeada y sostenida por una verdadera relación con Dios en su Palabra y en oración, entonces serás un mejor cónyuge, padre, amigo, primo, hijo y vecino.

A veces, lo más amoroso que podemos hacer es alejarnos de la gente por unos pocos minutos, alimentar nuestra alma en Dios y su bondad, y regresar a nuestra familia y nuestra comunidad con energías renovadas para anticipar y satisfacer las necesidades de los demás. Pero en otros momentos, el camino del amor es morir a nuestros deseos de tener tiempo personal a solas —incluso para cosas buenas como la meditación bíblica y la oración— para prestar atención al niño que está enfermo o que se despertó temprano, o para preparar y servir el desayuno a una familia que está de visita, o para ayudar al cónyuge o a un amigo que está teniendo su propia mañana de locos.

3. Desarrolla una rutina matutina que sea adaptable

El considerar las mañanas alocadas, saber que llegarán e intentar estar preparados puede implicar que desarrollemos hábitos matutinos flexibles. Intenta crear una rutina que pueda extenderse a más de una hora, si es que tienes ese tiempo, o comprimirse a solo diez minutos, o incluso menos, cuando el amor lo requiera.

Por ejemplo, podrías considerar un modelo simple como el que hemos explorado en este libro: *comienza con lectura de la Biblia, avanza hacia la meditación, afínala con la oración.* Los días que tengas un espacio prolongado puedes leer y meditar más tiempo, e incluir la práctica de registrar tus pensamientos en un diario, tomar tiempo para memorizar algún pasaje importante, y detenerte en oración, desde la adoración, hacia la confesión, el agradecimiento y la súplica. Pero en una mañana de locos, puedes completar la secuencia de lectura, meditación y oración en solo unos pocos minutos si fuera necesario.

En vez de leer todos los pasajes asignados en tu plan de lectura de la Biblia, elige solo un breve salmo, un relato corto del evangelio, o una pequeña sección de una epístola. Busca una manifestación de la bondad de Dios en el pasaje, y medita en esa bondad aplicándola a tu vida en Jesús e intenta llevar esa verdad a tu corazón. Luego lleva esa verdad a la oración a la luz de tu día y las necesidades inminentes, junto con cualquier otra súplica espontánea que venga a tu mente esa mañana.

Si realmente tienes muy poco tiempo, al menos haz una breve pausa para orar, e intenta mantener un espíritu de oración y dependencia durante el día. Cristo puede salir a tu encuentro en el camino. Dile a Dios que al parecer las circunstancias y el llamado del amor te están guiando a encarar directamente el día. Reconoce que no puedes ganar su ayuda con un largo tiempo de meditación y oración, y pídele que se muestre con fuerza hoy siendo tu fortaleza cuando te sientas espiritualmente débil.

De hecho, a menudo son los días alocados cuando nos sentimos más dependientes, y nuestra sensación de debilidad es buena para que Dios nos muestre su fortaleza. «Con mi gracia tienes más que suficiente, porque mi poder se perfecciona en la debilidad» (2Co 12:9).

4. Busca la provisión de Dios a través de otras personas

Los medios de gracia no son simplemente algo personal. Son profundamente comunitarios. Incluso nuestra meditación bíblica y nuestra oración personal están profundamente moldeadas por nuestra vida en comunidad, y por aquellos que nos han enseñado con intencionalidad. La recepción personal de la Biblia y la oración pueden ser poderosos —y son hábitos de gracia que vale la pena buscar diariamente— pero también puede ser poderoso un recordatorio de la gracia de Dios que viene de un cónyuge, un amigo u otro creyente. No pases por alto el poder de la comunión como un medio de la gracia de Dios.

Si esta mañana de locos no te está permitiendo tener tu tiempo a solas con Jesús, presta atención a algún bocado del evangelio en alguna conversación con alguien que ama a Jesús. Si ambos están teniendo un día alocado, tal vez una rápida conversación que los haga mirar a Cristo y su bondad hacia nosotros pueda producir algo de alimento para ambos que de otra manera no hubieran tenido.

5. EVALÚA MÁS TARDE LO QUE PODRÍAS APRENDER PARA LA PRÓXIMA VEZ

Cuando haya pasado la mañana y el día alocado, intenta buscar cómo puedes aprender a anticipar y enfrentar estos días en el futuro. Si la noche anterior te quedaste despierto hasta tarde mirando innecesariamente algún programa televisivo o una película, la lección podría ser, simplemente, planificar mejor la próxima vez. Aunque a menudo no hay nada que aprender. La vida es así en esta etapa.

Siempre habrá días de locos. Y hay etapas en la vida, como cuando llega al hogar un recién nacido, en que todo es impredecible y es simplemente una etapa alocada. Pero con un poco de intencionalidad, y teniendo un modesto plan, puedes aprender a superar estos días, e incluso caminar con mayor dependencia de Dios, sabiendo muy bien que la ejecución ideal de nuestros hábitos matutinos de gracia no es lo que asegura su favor y bendición.

Puedes tener comunión con Cristo en los días de locos.

Agradecimientos

Se requiere de todo un pueblo para criar a un niño —y para escribir un libro. Mi caminar con los hábitos de gracia se remonta a mi niñez, incluso antes de lo que puedo recordar. Mamá y papá buscaban no solo cultivar su propia comunión con Jesús en la lectura diaria de la Biblia y la oración, sino que también se hicieron el hábito de reunirnos a sus hijos para tener devociones familiares antes de ir a dormir. Por debajo de Cristo mismo, mi primera expresión de agradecimiento es para mamá y papá.

Luego vienen los pacientes y amables padres—voluntarios de la escuela intermedia y secundaria de la Primera Iglesia Bautista en Spartanburg, Carolina del Sur. Es imposible nombrar a tantas personas que invirtieron en nosotros incontables mañanas y tardes de domingo y las noches de los miércoles. Además de los líderes de jóvenes, fue el pastor Don Wilton quien nos enseñó que podíamos confiar en la Biblia, y Seth Buckley quien era el modelo de ministerio juvenil y hombría cristiana.

En la Universidad Furman de Greenville, Carolina del Sur, de influencia trascendental fueron los mentores Faamata Fonoimoana y Matt Lorish, bajo el liderazgo de Ken Currie. Faamata se sacrificó como estudiante avanzado invirtiendo tiempo en los humildes principiantes. Él era un formador de discípulos en todos los aspectos de la vida, incluyendo los hábitos de gracia.

Luego de dos años con Faamata, Matt me tomó bajo sus alas durante mis últimos dos años en Furman. Él me dio el libro de Donald S. Whitney, Spiritual Disciplines for the Christian Life, y confió lo suficiente en mí para invitarme a enseñar públicamente a estudiantes más jóvenes en los proyectos de entrenamiento de verano.

Ahora en estos doce años en Minnesota, las influencias se han multiplicado. Paul Poteat, Matt Reagan y Andrew Knight vivieron junto conmigo esta visión de la comunión diaria con Jesús, cuando hacíamos discipulado con estudiantes universitarios.

Dedico un agradecimiento especial a mi antiguo colega y actual compañero de pastorado, Jonathan Parnell, quien me envió el correo electrónico profético, no solicitado, el 28 de diciembre de 2011: «Me pregunto si podrías considerar escribir un libro sobre las disciplinas... Piénsalo». Bueno, lo hice. Y aunque al principio parecía una posibilidad remota, llegó la oportunidad de enseñar las disciplinas a universitarios en Bethlehem College & Seminary (BCS), y luego escribir sobre ellas en desiringGod. org. Finalmente, Crossway tuvo la delicadeza de proveer espacio y apoyo para hacer crecer los vástagos y convertirlos en el libro que tienes en tus manos. Gracias en particular a Ryan Griffith de BCS, colegas del equipo de contenidos en desiringGod.org (Marshall Segal, Tony Reinke, Phillip Holmes, Stefan Green, John Piper, y Jon Bloom), y los queridos amigos de Crossway, especialmente Justin Taylor, quien creyó en este proyecto lo suficiente como para sugerir que hiciéramos una guía de estudio. Gracias a la editora estelar Tara Davis por abordar este proyecto con semejante pericia y atención, y a Pam Eason por su ayuda y dirección en la guía de estudio.

Gracias a mi esposa, Megan, nuestros gemelos Carson y Coleman, y nuestra nueva hija Gloria. Ustedes se adaptaron para darme el tiempo necesario para dar las últimas puntadas en enero y agosto de 2015. Y Megan, por más de ocho años ya, has sido mi feliz compañera cultivando hábitos de gracia y haciendo de nuestro hogar una base para escuchar la voz de Dios, hablarle al oído, y participar en su cuerpo. Este libro no existiría sin tu ánimo, paciencia y gracia extraordinaria.

Finalmente, y lo más importante, al Dios-hombre, sentado con poder en el trono del universo, bajo cuya sabia y bondadosa soberanía se plantaron las semillas para este pequeño libro y estas se nutrieron en la tierra y el agua de su misericordiosa providencia. Ciertamente, las cuerdas han caído para mí en lugares deleitosos (Sal 16:6). Mi oración es que Jesús —Señor, Salvador y el mayor tesoro— pueda ser más debidamente amado, apreciado y disfrutado mediante este pequeño libro. Que inspire muchos hábitos de su gracia en quienes lo admiran, a la luz de sus gloriosos medios de gracia en su Palabra, su oído y su cuerpo. Y que el grandioso fin verdaderamente pueda ser que él sea en mayor medida nuestro gran tesoro (Mt 13:44) y nuestro excelso gozo (Sal 43:4).

Índice temático

Índice de referencias bíblicas